#3주_완성
#쉽게
#빠르게
#재미있게

# 초등
# 수학 전략

Chunjae
Makes
Chunjae

▼

## [ 수학 전략 ]

기획총괄 김안나
편집개발 이근우, 김정희, 서진호, 한인숙, 김현주, 최수정, 김혜민, 박웅, 김정민
디자인총괄 김희정
표지디자인 윤순미, 안채리
내지디자인 박희춘
제작 황성진, 조규영

발행일 2021년 12월 15일 초판 2021년 12월 15일 1쇄
발행인 (주)천재교육
주소 서울시 금천구 가산로9길 54
신고번호 제2001-000018호
고객센터 1577-0902


※ 정답 분실 시에는 천재교육 교재 홈페이지에서 내려받으세요.
※ KC 마크는 이 제품이 공통안전기준에 적합하였음을 의미합니다.
※ 주의
책 모서리에 다칠 수 있으니 주의하시기 바랍니다.
부주의로 인한 사고의 경우 책임지지 않습니다.
8세 미만의 어린이는 부모님의 관리가 필요합니다.

수학
전략

초등 수학 **6-1**

# 이 책의 **구성과 특징** — 3주 완성

## 핵심 개념

단원별로 꼭 필요한 핵심 개념을 만화를 보면서
재미있게 익힐 수 있도록 하였습니다.

## 개념 돌파 전략❶, ❷

개념 돌파 전략❶에서는 단원별로
기본적인 개념을 설명하고 개념의 기초를 확인하는
문제를 제시하였습니다.
개념 돌파 전략❷에서는 기본적인 개념을 알고 있는지
문제로 확인할 수 있습니다.

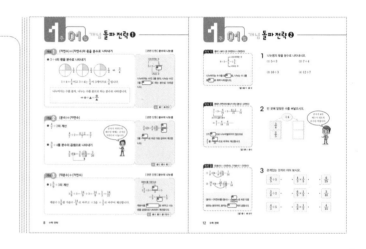

## 필수 체크 전략❶, ❷

필수 체크 전략❶에서는 단원별로
중요한 유형을 선택하여 반복 연습할 수 있도록
하였습니다.
필수 체크 전략❷에서는 추가적으로
중요한 유형을 선택하여 문제로 확인할 수 있도록
하였습니다.

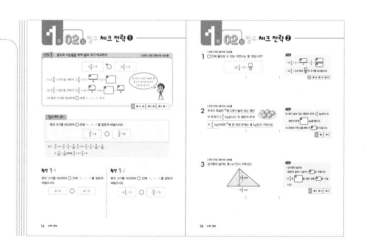

## 1주에 4일 구성 +1일에 6쪽 구성

### 교과서 대표 전략❶, ❷

교과서 대표 전략❶에서는 단원별로 교과서에 나오는
대표적인 문제를 제시하였습니다.
교과서 대표 전략❷에서는 한 번 더 확인할 수 있는
문제를 제시하였습니다.

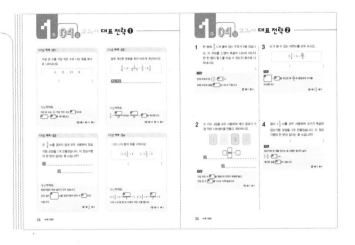

### 누구나 만점 전략
### 창의·융합·코딩 전략❶, ❷

누구나 만점 전략에서는 단원별로 꼭 풀어야 하는
문제를 제시하여 누구나 만점을 받을 수 있도록 하였습니다.
창의·융합·코딩 전략에서는 새 교육과정에서 제시하는
창의, 융합, 코딩 문제를 쉽게 접근할 수 있도록
제시하였습니다.

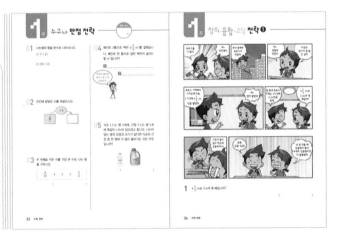

### 권말정리 마무리 전략
### 신유형·신경향·서술형 전략
### 학력진단 전략 1~3회

권말정리 마무리 전략은 만화로
마무리할 수 있게 하였습니다.
신유형·신경향·서술형 전략에서는
신유형, 신경향, 서술형 문제를 쉽게 풀 수
있도록 단계별로 제시하였습니다.
학력진단 전략은 총 3회로 전 단원의 학력을
진단할 수 있도록 구성하였습니다.

# 이 책의 **차례**

# 분수의 나눗셈, 소수의 나눗셈

❶ (자연수)÷(자연수)의 몫을 분수로 나타내기
❸ (소수)÷(자연수) 계산하기
❷ (분수)÷(자연수) 계산하기
❹ (자연수)÷(자연수)의 몫을 소수로 나타내기

$$1.32 \div 2 = \frac{132}{100} \div 2$$

$$= \frac{132 \div 2}{100} = \frac{66}{100} = 0.66$$

### 개념 **1**  (자연수)÷(자연수)의 몫을 분수로 나타내기

[관련 단원] 분수의 나눗셈

● $3÷4$의 몫을 분수로 나타내기

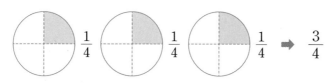

$\dfrac{1}{4}$    $\dfrac{1}{4}$    $\dfrac{1}{4}$  ➡  $\dfrac{3}{4}$

$1÷4=\dfrac{1}{4}$ 이고 $3÷4$는 $\dfrac{1}{4}$ 이 3개이므로 $\dfrac{3}{4}$ 입니다.

> 나누어지는 수를 분자, 나누는 수를 분모로 하는 분수로 나타냅니다.
>
> ➡ $● ÷ ▲ = \dfrac{●}{▲}$

나누어지는 수

$5÷7=\dfrac{5}{❶\boxed{\phantom{0}}}$

나누는 수

나누어지는 수인 5를 분자, 나누는 수인 7을 ❷ $\boxed{\phantom{00}}$ 로 하는 분수로 나타냅니다.

답 ❶ 7 ❷ 분모

---

### 개념 **2**  (분수)÷(자연수)

[관련 단원] 분수의 나눗셈

● $\dfrac{4}{7}÷2$의 계산

$$\dfrac{4}{7}÷2=\dfrac{4÷2}{7}=\dfrac{2}{7}$$

● $\dfrac{3}{5}÷4$를 분수의 곱셈으로 나타내기

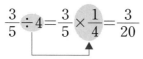

$$\dfrac{3}{5}÷4=\dfrac{3}{5}×\dfrac{1}{4}=\dfrac{3}{20}$$

> 분자가 자연수의 배수일 때에는 분자를 자연수로 나눕니다.

$\dfrac{3}{4}÷2=\dfrac{3}{4}×\dfrac{1}{2}=\dfrac{❶\boxed{\phantom{0}}}{❷\boxed{\phantom{0}}}$

2를 $\dfrac{❸\boxed{\phantom{0}}}{2}$ 로 바꾼 다음 곱하여 계산합니다.

답 ❶ 3 ❷ 8 ❸ 1

---

### 개념 **3**  (대분수)÷(자연수)

[관련 단원] 분수의 나눗셈

● $1\dfrac{5}{9}÷3$의 계산

$$1\dfrac{5}{9}÷3=\dfrac{14}{9}÷3=\dfrac{14}{9}×\dfrac{1}{3}=\dfrac{14}{27}$$

대분수 $1\dfrac{5}{9}$ 를 가분수 $\dfrac{14}{9}$ 로 바꾸고 $÷3$을 $×\dfrac{1}{3}$ 로 바꾸어 계산합니다.

대분수를 가분수로

$1\dfrac{2}{3}÷5=\dfrac{❶\boxed{\phantom{0}}}{3}÷5$

$=\dfrac{5}{3}×\dfrac{1}{❷\boxed{\phantom{0}}}=\dfrac{1}{3}$

대분수를 ❸ $\boxed{\phantom{00}}$ 로 바꾸고 나눗셈을 곱셈으로 나타내어 계산합니다.

답 ❶ 5 ❷ 5 ❸ 가분수

## 개념 기초 확인

▶정답 및 풀이 2쪽

**1-1** $1 \div 6$을 그림으로 나타내고, 몫을 구하시오.

```
0 ────────────────── 1
```

$$1 \div 6 = \dfrac{\square}{\square}$$

• **풀이** • 색칠한 부분은 1을 똑같이 **❶** □ 으로 나눈 것 중의 1이므로

$$1 \div 6 = \dfrac{\text{❷}}{\text{❸}} \text{입니다.}$$

답 ❶ 6  ❷ 1  ❸ 6

**1-2** $3 \div 2$를 그림으로 나타내고, 몫을 구하시오.

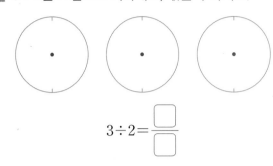

$$3 \div 2 = \dfrac{\square}{\square}$$

**2-1** □ 안에 알맞은 수를 써넣으시오.

$$\dfrac{9}{10} \div 3 = \dfrac{\square \div 3}{10} = \dfrac{\square}{10}$$

• **풀이** • 분자 9가 자연수 **❶** □ 의 배수이므로 분자를 자연수로 나눕니다.

$$\dfrac{9}{10} \div 3 = \dfrac{9 \div 3}{10} = \dfrac{\text{❷}}{\text{❸}}$$

답 ❶ 3  ❷ 3  ❸ 10

**2-2** □ 안에 알맞은 수를 써넣으시오.

$$\dfrac{2}{3} \div 5 = \dfrac{\square}{15} \div 5 = \dfrac{\square \div 5}{15} = \dfrac{\square}{15}$$

**3-1** □ 안에 알맞은 수를 써넣으시오.

$\dfrac{5}{6} \div 4$의 몫은 $\dfrac{5}{6}$를 □등분 한 것 중의 하나입니다.

이것은 $\dfrac{5}{6}$의 $\dfrac{\square}{\square}$이므로 $\dfrac{5}{6} \times \dfrac{\square}{\square}$입니다.

➡ $\dfrac{5}{6} \div 4 = \dfrac{5}{6} \times \dfrac{\square}{\square} = \dfrac{\square}{\square}$

• **풀이** • $\dfrac{5}{6}$를 4등분 한 것 중의 하나

➡ $\dfrac{5}{6}$의 $\dfrac{1}{\text{❶}}$ ➡ $\dfrac{5}{6} \times \dfrac{1}{\text{❷}} = \dfrac{\text{❸}}{\text{❹}}$

답 ❶ 4  ❷ 4  ❸ 5  ❹ 24

**3-2** □ 안에 알맞은 수를 써넣으시오.

$1\dfrac{1}{2} \div 2$의 몫은 $1\dfrac{1}{2} = \dfrac{\square}{2}$을 □등분 한 것 중의 하나입니다.

➡ $1\dfrac{1}{2} \div 2 = \dfrac{3}{2} \div 2 = \dfrac{3}{2} \times \dfrac{\square}{\square} = \dfrac{\square}{\square}$

$\dfrac{\blacktriangle}{\blacksquare} \div \bullet$를 $\dfrac{\blacktriangle}{\blacksquare} \times \dfrac{1}{\bullet}$로 바꾸어 계산합니다.

### 개념 4  (소수)÷(자연수)

[관련 단원] 소수의 나눗셈

○ **13.6÷4의 계산**

```
      3.4
  4) 1 3.6
     1 2
       1 6
       1 6
           0
```

나누어지는 수의 소수점 위치에 맞춰 결괏값에 소수점을 올려 찍습니다.

○ **1.38÷6의 계산**

```
      0.2 3
  6) 1.3 8
     1 2
       1 8
       1 8
           0
```

나누어지는 수가 나누는 수보다 작은 경우 몫의 자연수 부분에 0을 씁니다.

○ **1.4÷4의 계산**

```
      0.3 5
  4) 1.4 0
     1 2
       2 0
       2 0
           0
```

나누어지는 수의 오른쪽 끝자리에 0이 계속 있는 것으로 생각하고 0을 내려 계산합니다.

○ **8.2÷4의 계산**

```
      2.0 5
  4) 8.2 0
     8
       2 0
       2 0
           0
```

내림한 수가 작아 나누기를 계속 할 수 없으면 몫에 0을 쓰고 수를 내려 계산합니다.

나누어지는 수가 나누는 수보다 작으면 몫이 1보다 작습니다.

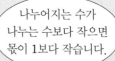

```
      1.❶ 5
  8) 8.4 0
     8
       4 0
       4 0
           0
```

4를 내려도 8로 나눌 수 없으므로 몫의 소수 첫째 자리에 ❷ 을 쓰고 8.4의 오른쪽 끝자리에 0이 있는 것으로 생각하고 ❸ 을 하나 더 내려 계산합니다.

답 ❶ 0 ❷ 0 ❸ 0

### 개념 5  (자연수)÷(자연수)의 몫을 소수로 나타내기

[관련 단원] 소수의 나눗셈

○ **5÷2의 계산**

```
      2.5
  2) 5.0
     4
       1 0
       1 0
           0
```

더 이상 계산할 수 없을 때까지 내림을 하고, 내릴 수가 없는 경우 0을 내려 계산합니다.

```
     ❶ .7 5
  4) 3.0 0
     2 8
       ❷
       2 0
           0
```

더 이상 계산할 수 없을 때까지 0을 내려 계산합니다.

답 ❶ 0 ❷ 20

**4-1** 보기 와 같은 방법으로 계산하시오.

보기

$$16.52 \div 4 = \frac{1652}{100} \div 4 = \frac{1652 \div 4}{100}$$
$$= \frac{413}{100} = 4.13$$

$37.35 \div 5$

• **풀이** • 37.35를 분모가 ❶ ⬚ 인 분수로 바꾸고 분자를 나누는 수 ❷ ⬚ 로 나눕니다.

답 ❶ 100 ❷ 5

**4-2** 소수의 나눗셈을 분수의 나눗셈으로 바꾸어 계산하시오.

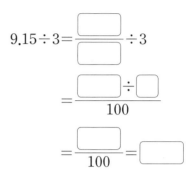

$$9.15 \div 3 = \frac{\boxed{\phantom{0}}}{\boxed{\phantom{0}}} \div 3$$
$$= \frac{\boxed{\phantom{0}} \div \boxed{\phantom{0}}}{100}$$
$$= \frac{\boxed{\phantom{0}}}{100} = \boxed{\phantom{0}}$$

**5-1** 자연수의 나눗셈을 이용하여 소수의 나눗셈을 계산하시오.

$$140 \div 4 = 35 \Rightarrow 1.4 \div 4 = \boxed{\phantom{0}}$$

• **풀이** • 140의 $\frac{1}{\boxed{❶}}$ 배가 1.4이므로 35의 $\frac{1}{\boxed{❷}}$ 배인 ❸ ⬚ 가 1.4÷4의 몫이 됩니다.

답 ❶ 100 ❷ 100 ❸ 0.35

**5-2** 자연수의 나눗셈을 이용하여 소수의 나눗셈을 계산하시오.

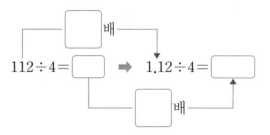

**6-1** 계산을 하시오.

$$4 \overline{) 6}$$

• **풀이** • 6은 6.❶ ⬚ 과 같습니다. 더 이상 계산할 수 없을 때까지 ❷ ⬚ 을 내려 계산합니다.

답 ❶ 0 ❷ 0

**6-2** 계산을 하시오.

$$8 \overline{) 9}$$

소수점 아래 0을 내려 계속 계산합니다.

**예제 1** 몫이 1보다 큰 (자연수)÷(자연수)

$$8 \div 5 = \dfrac{8}{5} = 1\dfrac{3}{5}$$

↗ 나누어지는 수
↘ 나누는 수

나누어지는 수 8을 분**❶** 로, 나누는 수 5를
분**❷** 로 하여 나타냅니다.

[답] **❶** 자 **❷** 모

**1** 나눗셈의 몫을 분수로 나타내시오.

(1) $5 \div 3$　　　　(2) $7 \div 4$

(3) $10 \div 3$　　　　(4) $12 \div 7$

**예제 2** 분자가 자연수의 배수가 아닌 (분수)÷(자연수)

$$\dfrac{2}{7} \div 3 = \dfrac{6}{21} \div 3 = \dfrac{6 \div 3}{21} = \dfrac{2}{21}$$

크기가 같은 분수

➡ $\dfrac{2}{7} = \dfrac{4}{14} = \dfrac{6}{21} \cdots\cdots$

2가 **❶** 으로 나누어떨어지지 않으므로

$\dfrac{2}{7}$ 를 $\dfrac{\boxed{❷}}{21}$ 으로 바꾸어 계산합니다.

[답] **❶** 3 **❷** 6

**2** 빈 곳에 알맞은 수를 써넣으시오.

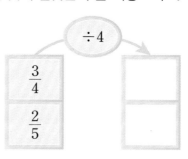

분자가 4의
배수가 되도록
분수를 바꿉니다.

**예제 3** (진분수)÷(자연수), (가분수)÷(자연수)

① $\dfrac{7}{8} \div 3 = \dfrac{7}{8} \times \dfrac{1}{3} = \dfrac{7}{24}$

② $\dfrac{10}{9} \div 4 = \dfrac{\overset{5}{10}}{9} \times \dfrac{1}{\underset{2}{4}} = \dfrac{5}{18}$

(분수)÷(자연수)를 (분수)$\times \dfrac{\boxed{❶}}{(자연수)}$ 로 바꾼 다음
분모는 분모끼리, 분자는 **❷** 끼리 곱합니다.

[답] **❶** 1 **❷** 분자

**3** 관계있는 것끼리 이어 보시오.

$\dfrac{6}{5} \div 5$ •　　• $\dfrac{4}{3} \times \dfrac{1}{5}$ •　　• $\dfrac{6}{25}$

$\dfrac{3}{8} \div 2$ •　　• $\dfrac{6}{5} \times \dfrac{1}{5}$ •　　• $\dfrac{3}{16}$

$\dfrac{4}{3} \div 5$ •　　• $\dfrac{3}{8} \times \dfrac{1}{2}$ •　　• $\dfrac{4}{15}$

**예제 4** 자연수의 나눗셈을 이용하여 (소수)÷(자연수) 계산하기

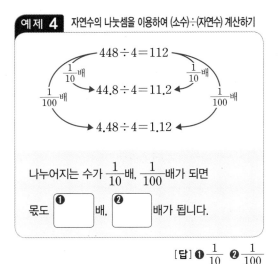

나누어지는 수가 $\frac{1}{10}$배, $\frac{1}{100}$배가 되면

몫도 **❶** ☐ 배, **❷** ☐ 배가 됩니다.

[답] **❶** $\frac{1}{10}$ **❷** $\frac{1}{100}$

**4** ☐ 안에 알맞은 수를 써넣으시오.

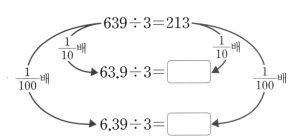

**예제 5** 몫의 소수 첫째 자리에 0이 있는 (소수)÷(자연수)

$$\begin{array}{r} 1.08 \\ 5\overline{)5.40} \\ 5\times1 \rightarrow \underline{5} \\ 4\ 0 \\ \underline{4\ 0} \leftarrow 5\times8 \\ 0 \end{array}$$

계산이 끝나지 않으면 소수 오른쪽 끝자리에

**❶** ☐ 을 내려 계산합니다.

4를 내려도 5보다 작으므로 몫의 소수 첫째 자리에

**❷** ☐ 을 쓰고 0을 내려 계산합니다.

[답] **❶** 0 **❷** 0

**5** 계산이 잘못된 곳을 찾아 바르게 계산하시오.

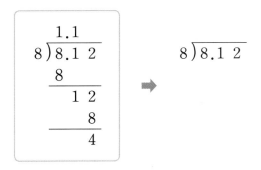

**예제 6** 몫의 소수점의 위치 확인하기

$$19.6 \div 2 = 0.98 \ (\times)$$
$$19.6 \div 2 = 9.8 \ (\bigcirc)$$
$$19.6 \div 2 = 98 \ (\times)$$

19.6은 20에 가까우므로 어림하여 계산하면

**❶** ☐ ÷2에서 약 **❷** ☐ 입니다.

[답] **❶** 20 **❷** 10

**6** 보기 와 같이 소수를 반올림하여 일의 자리까지 나타내어 어림한 식으로 표현하시오.

보기

(1) $25.1 \div 5$        (2) $19.84 \div 4$

## 전략 1  분수의 나눗셈을 하여 몫의 크기 비교하기

[관련 단원] 분수의 나눗셈

$$1\frac{5}{9} \div 7 \quad \text{⑥}\bigcirc \quad 2\frac{2}{3} \div 4$$

(1) $1\frac{5}{9} \div 7$의 몫 구하기: $1\frac{5}{9} \div 7 = \dfrac{\boxed{①}}{9} \div 7 = \boxed{②}$

(2) $2\frac{2}{3} \div 4$의 몫 구하기: $2\frac{2}{3} \div 4 = \dfrac{\boxed{③}}{3} \div 4 = \boxed{④} = \dfrac{\boxed{⑤}}{9}$

(3) 몫의 크기를 비교하여 ◯ 안에 >, =, < 쓰기

> 분수의 크기를 비교할 때
> 분모가 같으면 분자가
> 클수록 큽니다.

**답** ❶ 14 ❷ $\frac{2}{9}$ ❸ 8 ❹ $\frac{2}{3}$ ❺ 6 ❻ <

### 필수 예제 01

몫의 크기를 비교하여 ◯ 안에 >, =, <를 알맞게 써넣으시오.

$$\frac{3}{5} \div 4 \quad \bigcirc \quad \frac{2}{5} \div 8$$

**풀이** | $\dfrac{3}{5} \div 4 = \dfrac{3}{5} \times \dfrac{1}{4} = \dfrac{3}{20}$, $\dfrac{2}{5} \div 8 = \dfrac{2}{5} \times \dfrac{1}{8} = \dfrac{2}{40} = \dfrac{1}{20}$

➡ $\dfrac{3}{20} > \dfrac{1}{20}$이므로 $\dfrac{3}{5} \div 4 > \dfrac{2}{5} \div 8$

## 확인 1-1

몫의 크기를 비교하여 ◯ 안에 >, =, <를 알맞게 써넣으시오.

$$9 \div 4 \quad \bigcirc \quad 8 \div 3$$

## 확인 1-2

몫의 크기를 비교하여 ◯ 안에 >, =, <를 알맞게 써넣으시오.

$$4\frac{1}{5} \div 3 \quad \bigcirc \quad \frac{11}{9} \div 5$$

## 전략 **2** 정다각형에서 한 변의 길이 구하기

[관련 단원] 분수의 나눗셈

**예** 정삼각형에서 ■의 값 구하기

둘레: 10 cm

■ cm

■ cm는 정삼각형의 한 변의 길이입니다.

(1) 정삼각형은 세 변의 길이가 모두 **❶**_____.

(2) ■의 값 구하기: ■=(둘레)÷**❷**□ 이므로 $10 \div 3 = \dfrac{10}{3} =$ **❸**□

**답** ❶ 같습니다 ❷ 3 ❸ $3\dfrac{1}{3}$

### 필수 예제 | 02 |

정사각형에서 ■는 얼마인지 구하시오.

둘레: $1\dfrac{1}{3}$ cm

■ cm

$1\dfrac{1}{3} \div \square = \dfrac{\square}{3} \div \square = \square$

**풀이** | 정사각형은 네 변의 길이가 모두 같으므로 정사각형의 둘레를 변의 수 4로 나눕니다.

➡ $■ = 1\dfrac{1}{3} \div 4 = \dfrac{4}{3} \div 4 = \dfrac{4 \div 4}{3} = \dfrac{1}{3}$

### 확인 **2**-1

정오각형에서 한 변의 길이를 구하시오.

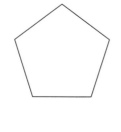

둘레: $\dfrac{8}{9}$ m

(                              )

### 확인 **2**-2

둘레가 $10\dfrac{1}{4}$ cm인 정육각형의 한 변의 길이를 구하시오.

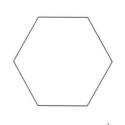

(                              )

**전략 3**　소수의 나눗셈을 하여 몫의 크기 비교하기　　　　[관련 단원] 소수의 나눗셈

$$11.68 \div 8 \quad ❼\bigcirc \quad 7.74 \div 6$$

(1) $11.68 \div 8$과 $7.74 \div 6$의 몫 각각 구하기:

자연수의 나눗셈과 같은 방법으로 계산하고 소수점을 올려 찍습니다.

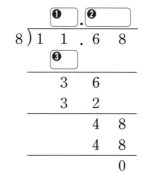

```
      ❶ . ❷              ❹ . ❺
 8 ) 1 1 . 6 8       6 ) 7 . 7 4
     ❸                    6
     3   6                1   7
     3   2              ❻
         4   8              5   4
         4   8              5   4
             0                  0
```

(2) 몫의 크기를 비교하여 ◯ 안에 >, =, < 쓰기

답　❶1　❷46　❸8　❹1　❺29　❻12　❼>

---

**필수예제 | 03 |**

몫의 크기를 비교하여 ◯ 안에 >, =, <를 알맞게 써넣으시오.

$$1.88 \div 4 \quad \bigcirc \quad 4.32 \div 8$$

풀이 |
```
     0.4 7        0.5 4
 4 )1.8 8     8 )4.3 2
     1 6          4 0
     2 8          3 2
     2 8          3 2
       0            0
```
 $0.47 < 0.54$

---

## 확인 3-1

몫이 더 큰 것의 기호를 쓰시오.

$$\bigcirc \ 7.4 \div 4 \qquad \bigcirc \ 16.4 \div 8$$

(　　　　　　　)

## 확인 3-2

몫이 더 작은 것의 기호를 쓰시오.

$$\bigcirc \ 10.08 \div 8 \qquad \bigcirc \ 28.16 \div 16$$

(　　　　　　　)

## 전략 **4**   자연수의 나눗셈 이용하기 　　　　　[관련 단원] 소수의 나눗셈

**예** 자연수의 나눗셈을 이용하여 (소수)÷(자연수) 계산하기

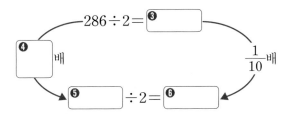

나누는 수는
그대로입니다.

(1) 286÷2 계산하기: 286÷2=**❶**

(2) 몫을 $\frac{1}{10}$배 했으므로 나누어지는 수도 **❷** 배입니다.

(3) 위 문제의 빈칸 채우기

답　❶ 143　❷ $\frac{1}{10}$　❸ 143　❹ $\frac{1}{10}$　❺ 28.6　❻ 14.3

### 필수예제 04

□ 안에 알맞은 수를 써넣으시오.

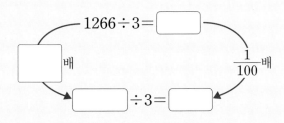

풀이 ┃ 1266÷3=422이고 몫을 $\frac{1}{100}$배 했으므로 나누어지는 수도 $\frac{1}{100}$배 하여 나눗셈식을 만들면
12.66÷3=4.22입니다.

## 확인 **4**-1

□ 안에 알맞은 수를 써넣으시오.

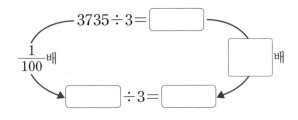

## 확인 **4**-2

□ 안에 알맞은 수를 써넣으시오.

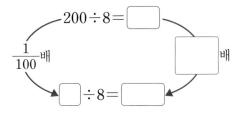

[관련 단원] 분수의 나눗셈

**1** ☐ 안에 들어갈 수 있는 자연수는 몇 개입니까?

$$12\frac{1}{4} \div 5 > \frac{\boxed{\phantom{0}}}{20}$$

( )

Tip

· $12\frac{1}{4} \div 5 = \frac{\boxed{❶}}{4} \times \frac{1}{5} = \frac{\boxed{❷}}{\boxed{❸}}$

· $12\frac{1}{4} \div 5$의 몫과 $\frac{\boxed{\phantom{0}}}{20}$의 크기를 비교합니다.

답 ❶ 49 ❷ 49 ❸ 20

[관련 단원] 분수의 나눗셈

**2** 무게가 똑같은 <sup>❶</sup>배 5개가 놓여 있는 쟁반의 무게가 $2\frac{4}{5}$ kg입니다. 빈 쟁반의 무게가 $\frac{2}{5}$ kg이라면 <sup>❷</sup>배 한 개의 무게는 몇 kg인지 구하시오.

( )

Tip

❶ 배가 놓여 있는 쟁반의 무게 $2\frac{4}{5}$ kg에서 빈 쟁반의 무게 $\boxed{❶}$ kg을 뺍니다.

❷ ❶에서 구한 값을 배의 수 $\boxed{❷}$ 로 나눕니다.

답 ❶ $\frac{2}{5}$ ❷ 5

[관련 단원] 분수의 나눗셈

**3** 삼각형의 넓이는 몇 cm²인지 구하시오.

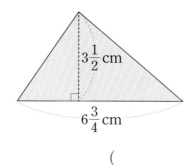

( )

Tip

· 삼각형의 넓이는
(밑변의 길이)×(높이)÷$\boxed{❶}$ 로 구합니다.

· $6\frac{3}{4}$과 $\boxed{❷}$ 을 곱한 값을 $\boxed{❸}$ 로 나눕니다.

답 ❶ 2 ❷ $3\frac{1}{2}$ ❸ 2

[관련 단원] 소수의 나눗셈

## 4 몫이 큰 순서대로 기호를 쓰시오.

| ㉠ 43.12÷14 | ㉡ 3.64÷7 | ㉢ 11÷5 |

(                   )

**Tip**
- 나누어지는 수가 나누는 수보다 작으면 몫이 1보다 ❶[　　]므로 ㉠, ㉡, ㉢ 중 ❷[　]의 몫이 가장 작습니다.
- ㉠과 ㉢을 계산하여 몫의 크기를 비교합니다.

답 ❶ 작으 ❷ ㉡

[관련 단원] 소수의 나눗셈

## 5 빈칸에 알맞은 소수를 써넣으시오.

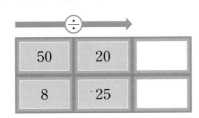

**Tip**
- 50=50.0=❶[　　].00
- 몫의 소수점은 자연수 바로 뒤에서 올려서 찍습니다.
- 소수점 아래에서 내릴 수가 없는 경우 ❷[　]을 내려 계산합니다.

답 ❶ 50 ❷ 0

[관련 단원] 소수의 나눗셈

## 6 몫을 어림하여 몫이 1보다 작은 나눗셈을 모두 찾아 ○표 하시오.

| 1.32÷2 | 3.33÷3 | 7.35÷5 |
| 2.25÷2 | 1.32÷3 | 5.25÷5 |
| 3.21÷2 | 5.28÷3 | 4.15÷5 |

**Tip**
- (나누어지는 수) ❶○ (나누는 수)이면 몫이 1보다 큽니다.
- (나누어지는 수) ❷○ (나누는 수)이면 몫이 1보다 작습니다.

답 ❶ > ❷ <

전략 1    조건에 맞는 자연수 구하기

[관련 단원] 분수의 나눗셈

예 ▲가 될 수 있는 자연수 구하기

$$▲ < \frac{11}{3} \div 2$$

$\frac{11}{3} \div 2$의 몫을 대분수로 나타냅니다.

(1) $\frac{11}{3} \div 2$를 계산하기: $\frac{11}{3} \div 2 = \frac{11}{3} \times \frac{1}{2} = \boxed{❶} = \boxed{❷}\frac{\boxed{❸}}{\boxed{❹}}$

(2) $▲ < 1\frac{5}{6}$ ➡ ▲가 될 수 있는 자연수는 $\boxed{❺}$ 입니다.

답 ❶ $\frac{11}{6}$  ❷ 1  ❸ 5  ❹ 6  ❺ 1

### 필수 예제 01

□ 안에 들어갈 수 있는 자연수를 모두 구하시오.

$$6\frac{1}{5} \div 2 > \boxed{\phantom{x}}$$

(                    )

풀이 $6\frac{1}{5} \div 2 = \frac{31}{5} \div 2 = \frac{31}{5} \times \frac{1}{2} = \frac{31}{10} = 3\frac{1}{10}$

➡ $3\frac{1}{10} > \boxed{\phantom{x}}$ 이므로 □ 안에 들어갈 수 있는 자연수는 1, 2, 3입니다.

## 확인 1-1

□ 안에 들어갈 수 있는 자연수는 모두 몇 개입니까?

$$20 \div 3 > \boxed{\phantom{x}}$$

(                    )

## 확인 1-2

□ 안에 들어갈 수 있는 자연수 중 가장 작은 수는 무엇입니까?

$$6\frac{1}{2} \div 2 < \boxed{\phantom{x}}$$

(                    )

[관련 단원] 분수의 나눗셈

**예** 밀가루 $3\frac{1}{2}$ kg과 설탕 $2\frac{1}{5}$ kg을 섞은 후 통 4개에 똑같이 나누어 담았을 때

한 통에 들어 있는 양 구하기

(1) 밀가루와 설탕 무게의 합 구하기: $3\frac{1}{2} + 2\frac{1}{5} = 3\frac{5}{10} + 2\frac{2}{10} = $ ❶ $\boxed{\phantom{xx}}$ (kg)

(2) 한 통에 들어 있는 양 구하기: ❷ $\boxed{\phantom{xx}} \div$ ❸ $\boxed{\phantom{xx}} = \frac{57}{10} \times \frac{1}{4} = \frac{57}{40} = $ ❹ $\boxed{\phantom{xx}}$ (kg)

답 ❶ $5\frac{7}{10}$ ❷ $5\frac{7}{10}$ ❸ 4 ❹ $1\frac{17}{40}$

**1**
주

**필수예제 02**

보리차가 $1\frac{2}{5}$ L 들어 있는 주전자에 생수를 $1\frac{1}{3}$ L 부었습니다. 그리고 나서 주전자의 물을 컵 7개

에 남김없이 똑같이 나누어 따랐다면 컵 1개에 몇 L가 들어 있는지 구하시오.

( )

풀이 | 보리차와 생수의 양의 합: $1\frac{2}{5} + 1\frac{1}{3} = 1\frac{6}{15} + 1\frac{5}{15} = 2\frac{11}{15}$ (L)

전체 물의 양을 컵의 수로 나누면 $2\frac{11}{15} \div 7 = \frac{41}{15} \times \frac{1}{7} = \frac{41}{105}$ (L)

## 확인 **2**-1

민서 어머니는 쌀과 보리를 섞어서 밥을 짓습니다. 쌀 8 kg과 보리 2 kg을 섞어서 7일 동안 매일 똑같은 양으로 밥을 지었더니 남김없이 모두 먹었습니다. 하루에 먹은 양은 몇 kg입니까?

( )

## 확인 **2**-2

승재가 가지고 있는 끈 $\frac{4}{5}$ m와 상재가 가지고 있는 끈 $\frac{3}{4}$ m를 겹치지 않게 이은 후 남김없이 사용하여 정삼각형을 한 개 만들었습니다. 정삼각형의 한 변의 길이는 몇 m입니까?

( )

**전략 3** 몫을 어림하여 소수점의 위치 찾기 　　　　　　[관련 단원] 소수의 나눗셈

예 어림셈하여 몫의 소수점의 위치를 찾아 표시하기

$$21.72 \div 6$$

몫 ❸3□6□2

(1) 21.72를 반올림하여 일의 자리까지 나타내기: 21.72 ➡ ❶□

(2) 22÷6의 몫 어림하기: 22÷6의 몫은 3보다 크고 4보다 ❷□ 수입니다.

(3) 위 문제에서 소수점 찍기

답 ❶ 22 ❷ 작은 ❸ 3.62

**필수예제 03**

어림셈하여 몫의 소수점의 위치를 찾아 표시하시오.

$$5.52 \div 6$$

5.52를 자연수로 어림하세요.

(1) 5.52를 반올림하여 일의 자리까지 나타내어 어림한 식으로 계산하시오.

□÷□=□

(2) 몫의 소수점 위치를 찾아 표시하시오.

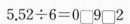
$$5.52 \div 6 = 0□9□2$$

풀이 | (1) 5.52를 반올림하여 일의 자리까지 나타내면 6이므로 6÷6=1로 어림합니다.
　　　(2) 6÷6=1이므로 5.52÷6의 몫도 1과 가까울 것입니다. ➡ 0.92

**확인 3**-1

어림셈하여 몫의 소수점 위치를 찾아 표시하시오.

$$61.2 \div 3$$

어림 □÷□=약□

몫 2□0□4

**확인 3**-2

어림셈하여 몫의 소수점 위치를 찾아 표시하시오.

$$13.4 \div 4$$

어림 □÷□=약□

몫 3□3□5

## 전략 **4** 수 카드로 나눗셈식 만들기 [관련 단원] 소수의 나눗셈

**예** 수 카드 중 3장을 골라 가장 큰 소수 두 자리 수를 만들고, 이 수를 남은 수 카드의 수로 나누기

2   6   8   9

(1) 가장 큰 소수 두 자리 수 만들기: 큰 수부터 3장을 골라 일의 자리, 소수 첫째 자리, 소수 둘째 자리에 차례로 놓으면 ❶□.❷□❸□

(2) 만든 소수 두 자리 수를 남은 수 카드의 수로 나누기: $9.86 \div$ ❹□ $=$ ❺□

답 ❶9 ❷8 ❸6 ❹2 ❺4.93

### 필수예제 04

수 카드 중 2장을 골라 가장 작은 소수 한 자리 수를 만들고, 이 수를 남은 수 카드의 수로 나누었을 때 몫은 얼마인지 구하시오.

0   2   5

□.□÷□=□

> ㉠.㉡ 모양의 소수를 만들 때에는 ㉠에 0이 들어갈 수 있습니다.

**풀이** | 작은 수부터 2장을 골라 일의 자리, 소수 첫째 자리에 차례로 놓으면 0.2입니다.
➡ $0.2 \div 5 = 0.04$

## 확인 **4**-1

수 카드 7장 중 2장을 사용하여 몫이 가장 큰 나눗셈식을 만들고 계산하시오.

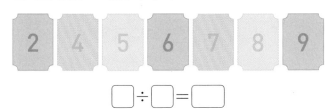

□÷□=□

## 확인 **4**-2

수 카드 6장 중 3장을 사용하여 몫이 가장 작은 나눗셈식을 만들고 계산하시오.

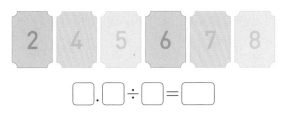

□.□÷□=□

[관련 단원] **분수의 나눗셈**

**1** 혜린이네 모둠과 소현이네 모둠은 텃밭을 가꾸기로 했습니다. 상추를 심기로 한 텃밭이 더 넓은 모둠은 어느 모둠입니까?

> 혜린: 우리 모둠의 텃밭은 16 m²야. 상추, 고구마, 고추를 똑같은 넓이로 심기로 했어.
>
> 소현: 우리 모둠의 텃밭은 17 m²야. 고구마, 상추, 깻잎, 방울 토마토를 똑같은 넓이로 심기로 했어.

(            )

**Tip**

• 혜린이네 모둠은 **❶**[  ] m²를 **❷**[  ]으로 나눕니다.

• 소현이네 모둠은 **❸**[  ] m²를 **❹**[  ]로 나눕니다.

**답** **❶** 16 **❷** 3 **❸** 17 **❹** 4

[관련 단원] **분수의 나눗셈**

**2** 수 카드 4장을 모두 사용하여 계산 결과가 가장 큰 나눗셈식을 만들고 계산하시오.

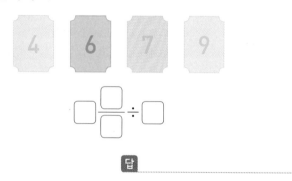

**답** _____

**Tip**

• 대분수의 자연수 부분에 가장 큰 수인 **❶**[  ]를, 나누는 수에 가장 작은 수인 **❷**[  ]를 놓고 식을 만들어 계산합니다.

**답** **❶** 9 **❷** 4

[관련 단원] **분수의 나눗셈**

**3** **❶**어떤 수를 5로 나누어야 할 것을 잘못하여 곱했더니 $\frac{8}{3}$이 되었습니다. **❷**바르게 계산한 결과를 구하시오.

(            )

**Tip**

**❶** (어떤 수)×5= **❶**[  ]

➡ (어떤 수)= **❷**[  ]÷5

**❷** 바르게 계산한 값은 어떤 수를 **❸**[  ]로 나눈 값입니다.

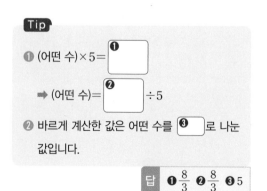

**답** **❶** $\frac{8}{3}$ **❷** $\frac{8}{3}$ **❸** 5

**4** [관련 단원] 소수의 나눗셈

길이가 60.3 m인 도로의 한쪽에 가로등 7개를 같은 간격으로 그림과 같이 세우려고 합니다. 가로등 사이의 간격을 몇 m 로 해야 하는지 구하시오.

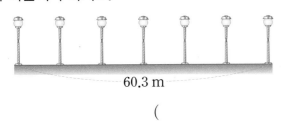

60.3 m

( )

**5** [관련 단원] 소수의 나눗셈

슬기네 가게에서 ❶9개가 들어 있는 오렌지 한 봉지의 무게가 2.07 kg이고, 준서네 가게에서 ❷8개가 들어 있는 오렌지 한 봉지의 무게가 2 kg입니다. ❸누구네 가게의 오렌지 한 개가 몇 kg 더 무겁다고 할 수 있을지 무게의 평균을 이용하여 구하시오.

( ), ( )

**6** [관련 단원] 소수의 나눗셈

㉠~㉣에 알맞은 수를 각각 구하시오.

㉠ ( )
㉡ ( )
㉢ ( )
㉣ ( )

## 대표 예제 01

가장 큰 수를 가장 작은 수로 나눈 몫을 분수로 나타내시오.

| 5 | 11 | 12 | 9 |

(             )

### 개념가이드

가장 큰 수는 12, 가장 작은 수는 ❶⬚ 이므로

❷⬚ ÷ ❸⬚ 를 계산합니다.

[답] ❶ 5 ❷ 12 ❸ 5

## 대표 예제 02

끈 $\dfrac{3}{8}$ m를 겹치지 않게 모두 사용하여 정삼각형 모양을 1개 만들었습니다. 이 정삼각형의 한 변의 길이는 몇 m입니까?

식 _____

답 _____

### 개념가이드

정삼각형은 변의 길이가 모두 같습니다.

끈의 길이 ❶⬚ m를 정삼각형의 변의 수 ❷⬚ 으로 나눕니다.

[답] ❶ $\dfrac{3}{8}$ ❷ 3

## 대표 예제 03

잘못 계산한 부분을 찾아 바르게 계산하시오.

$$\frac{5}{6} \div 3 = \frac{5}{6 \div 3} = \frac{5}{2} = 2\frac{1}{2}$$

바른 계산 _____

### 개념가이드

$\dfrac{5}{6} = \dfrac{\boxed{❶}}{18}$ 이므로 $\dfrac{\boxed{❷}}{18} \div \boxed{❸}$ 을 계산합니다.

[답] ❶ 15 ❷ 15 ❸ 3

## 대표 예제 04

㉠과 ㉡의 몫의 차를 구하시오.

| ㉠ $2\dfrac{1}{5} \div 4$ | ㉡ $1\dfrac{1}{2} \div 3$ |

(             )

### 개념가이드

㉠ $2\dfrac{1}{5} \div 4 = \dfrac{\boxed{❶}}{5} \div 4$    ㉡ $1\dfrac{1}{2} \div 3 = \dfrac{\boxed{❷}}{2} \div 3$

㉠과 ㉡의 몫 중 큰 수에서 작은 수를 뺍니다.

[답] ❶ 11 ❷ 3

넌 최고로
잘하고 있어.

## 대표 예제 | 05 |

어떤 수에 5를 곱했더니 $\dfrac{7}{9}$이 되었습니다.
어떤 수는 얼마입니까?

(        )

**개념가이드**

(어떤 수)×❶[   ]$=\dfrac{7}{9}$

➡ (어떤 수)$=\dfrac{7}{9}÷$❷[   ]

[답] ❶ 5 ❷ 5

## 대표 예제 | 06 |

가분수를 자연수로 나눈 몫을 구하시오.

$$\dfrac{5}{4} \qquad 6 \qquad \dfrac{4}{5} \qquad 2\dfrac{1}{3}$$

(        )

**개념가이드**

가분수는 ❶[   ]이고, 자연수는 ❷[   ]입니다.

➡ ❸[   ]÷❹[   ]

[답] ❶ $\dfrac{5}{4}$ ❷ 6 ❸ $\dfrac{5}{4}$ ❹ 6

## 대표 예제 | 07 |

몫이 1보다 큰 것을 모두 고르시오.
····································· (      )

① $1÷9$        ② $4÷5$

③ $3÷7$        ④ $6÷5$

⑤ $7÷4$

**개념가이드**

(나누어지는 수)>(나누는 수)이면 몫이 ❶[   ]보다 크므로
나누어지는 수가 ❷[    ] 수보다 큰 계산식을 찾습니다.

[답] ❶ 1 ❷ 나누는

## 대표 예제 | 08 |

밑변의 길이가 4 cm이고 넓이가 $6\dfrac{1}{2}$ cm²인
평행사변형의 높이는 몇 cm입니까?

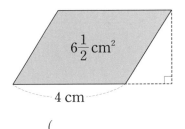

(        )

**개념가이드**

(평행사변형의 넓이)=(❶[    ]의 길이)×(높이)

높이는 넓이 ❷[   ] cm²를 밑변의 길이 ❸[   ] cm로
나누어 구합니다.

[답] ❶ 밑변 ❷ $6\dfrac{1}{2}$ ❸ 4

## 대표 예제 | 09 |

물 20.4 L를 물병 5개에 똑같이 나누어 담으려고 합니다. 물병 한 개에 담아야 할 물은 몇 L입니까?

(                )

**개념가이드**

전체 물의 양 **❶** ☐ L를 물병의 수 **❷** ☐ 로 나눕니다.

[답] ❶ 20.4 ❷ 5

## 대표 예제 | 10 |

다음 정육각형의 둘레는 12.3 cm입니다. ☐ 안에 알맞은 수를 써넣으시오.

☐ cm

**개념가이드**

정육각형의 둘레 **❶** ☐ cm를 변의 수 **❷** ☐ 으로 나눕니다.

[답] ❶ 12.3 ❷ 6

## 대표 예제 | 11 |

어림셈하여 몫의 소수점 위치가 올바른 식을 찾아 ○표 하시오.

$$5.26 \div 2 = 263$$
$$5.26 \div 2 = 26.3$$
$$5.26 \div 2 = 2.63$$
$$5.26 \div 2 = 0.263$$

**개념가이드**

5.26을 반올림하여 일의 자리까지 나타내면 **❶** ☐ 로 어림할 수 있습니다. 5÷**❷** ☐ 의 몫을 어림해 봅니다.

[답] ❶ 5 ❷ 2

## 대표 예제 | 12 |

몫이 작은 것부터 차례로 번호를 쓰시오.

| 35.7÷17 | 1.88÷4 | 8.7÷2 |

○      ○      ○

**개념가이드**

나누는 수와 나누어지는 수의 크기를 비교하면 35.7÷17, 8.7÷2의 몫은 1보다 **❶** ☐ 고 1.88÷4의 몫은 1보다 **❷** ☐ 니다.

[답] ❶ 크 ❷ 작습

■.▲보다 큰 자연수는
■+1입니다.

## 대표 예제 13

☐ 안에 들어갈 수 있는 가장 큰 자연수를 구하시오.

$$43 \div 5 > \boxed{\phantom{0}}$$

(                    )

### 개념가이드

$43 \div 5 = \boxed{❶}$ 이므로 $\boxed{❷}$ 보다 작은 자연수 중 가장 큰 수를 알아봅니다.

[답] ❶ 8.6  ❷ 8.6

## 대표 예제 15

㉠+㉡의 값을 구하시오.

$$7.76 \div 8 = ㉠ \qquad 15.25 \div 5 = ㉡$$

(                    )

### 개념가이드

$7.76 \div 8 = \boxed{❶}$ , $15.25 \div 5 = \boxed{❷}$

➡ 두 몫을 더합니다.

[답] ❶ 0.97  ❷ 3.05

## 대표 예제 14

넓이가 31.5 cm²인 직사각형을 똑같이 나누었습니다. 색칠한 부분의 넓이를 구하시오.

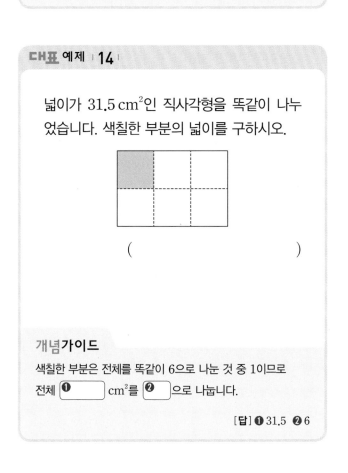

(                    )

### 개념가이드

색칠한 부분은 전체를 똑같이 6으로 나눈 것 중 1이므로 전체 $\boxed{❶}$ cm²를 $\boxed{❷}$ 으로 나눕니다.

[답] ❶ 31.5  ❷ 6

## 대표 예제 16

무게가 같은 귤이 한 봉지에 5개씩 4봉지 있습니다. 4봉지의 무게가 3 kg일 때 귤 한 개의 무게는 몇 kg인지 소수로 나타내시오.

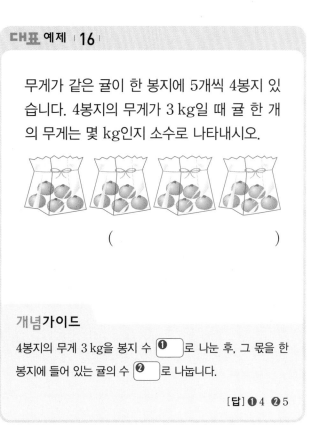

(                    )

### 개념가이드

4봉지의 무게 3 kg을 봉지 수 $\boxed{❶}$ 로 나눈 후, 그 몫을 한 봉지에 들어 있는 귤의 수 $\boxed{❷}$ 로 나눕니다.

[답] ❶ 4  ❷ 5

**1** 한 병에 $\frac{3}{2}$ L씩 들어 있는 우유가 5병 있습니다. 이 우유를 11명이 똑같이 나누어 마신다면 한 명이 몇 L를 마실 수 있는지 분수로 나타내시오.

(             )

**Tip**

전체 우유의 양: $\left(\frac{3}{2} \times \boxed{\textbf{❶}}\right)$ L

전체 우유의 양을 $\boxed{\textbf{❷}}$ 로 나누어 구합니다.

답 ❶ 5 ❷ 11

**2** 수 카드 4장을 모두 사용하여 계산 결과가 가장 작은 나눗셈식을 만들고 계산하시오.

식 ＿＿＿＿＿＿＿＿＿＿＿＿＿＿＿

답 ＿＿＿＿＿＿＿＿＿＿＿＿

**Tip**

가장 작은 수 $\boxed{\textbf{❶}}$ 을 대분수의 자연수 부분에 놓고,

가장 큰 수 $\boxed{\textbf{❷}}$ 를 나누는 수에 놓습니다.

답 ❶ 1 ❷ 4

**3** ■가 될 수 있는 자연수를 모두 쓰시오.

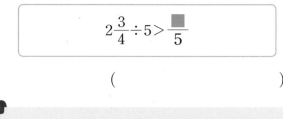

(             )

**Tip**

$\boxed{\textbf{❶}} \div \boxed{\textbf{❷}}$ 를 계산한 후 $\frac{■}{5}$ 와 통분하여 크기를 비교합니다.

답 ❶ $2\frac{3}{4}$ ❷ 5

**4** 철사 $1\frac{1}{2}$ m를 모두 사용하여 크기가 똑같은 정오각형 모양을 3개 만들었습니다. 이 정오각형의 한 변의 길이는 몇 m인지 분수로 나타내시오.

(             )

**Tip**

정오각형 한 개를 만드는 데 사용한 철사의 길이:

$\left(1\frac{1}{2} \div \boxed{\textbf{❶}}\right)$ m

계산한 값을 $\boxed{\textbf{❷}}$ 로 나눕니다.

답 ❶ 3 ❷ 5

**5** 원준이가 그린 삼각형의 넓이는 연서가 그린 삼각형의 넓이의 몇 배인지 구하시오.

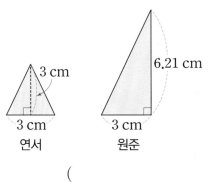

3 cm
6.21 cm
3 cm
3 cm
연서
원준

(                    )

**Tip**

(삼각형의 넓이)=(❶ 의 길이)×(❷ )÷2이므로 밑변의 길이가 같고 높이가 2배이면 넓이도 ❸ 배입니다.

답 ❶밑변 ❷높이 ❸2

**7** 5만 원으로 돼지고기 2 kg을 살 수 있습니다. 2만 원으로 살 수 있는 돼지고기는 몇 kg인지 소수로 나타내시오.

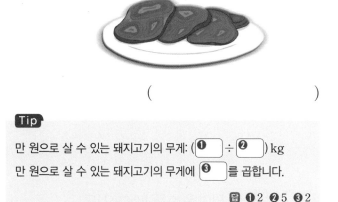

(                    )

**Tip**

만 원으로 살 수 있는 돼지고기의 무게: (❶ ÷❷ ) kg
만 원으로 살 수 있는 돼지고기의 무게에 ❸ 를 곱합니다.

답 ❶2 ❷5 ❸2

**6** 한 봉지에 들어 있는 복숭아의 수와 무게를 나타낸 것입니다. 누구네 가게의 복숭아 한 개가 더 무겁다고 할 수 있을지 평균을 이용하여 구하시오.

|  | 개수(개) | 무게(kg) |
|---|---|---|
| 형서네 가게 | 4 | 2.12 |
| 신우네 가게 | 6 | 2.94 |

(                    )

**Tip**

복숭아 한 개의 평균 무게를 각각 구합니다.
형서네 가게: (❶ ÷❷ ) kg
신우네 가게: (❸ ÷❹ ) kg

답 ❶2.12 ❷4 ❸2.94 ❹6

**8** 같은 모양은 같은 수를 나타냅니다. ♥가 나타내는 수를 구하시오.

★×4=4.2
★÷3=♥

(                    )

**Tip**

★=❶ ÷❷
★의 값을 구한 후 ❸ 으로 나눕니다.

답 ❶4.2 ❷4 ❸3

**01** 나눗셈의 몫을 분수로 나타내시오.

(1) $7 \div 11$

(2) $20 \div 13$

**02** 빈칸에 알맞은 수를 써넣으시오.

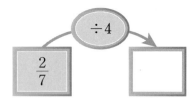

**03** 두 번째로 작은 수를 가장 큰 수로 나눈 몫을 구하시오.

| $\dfrac{9}{10}$ | 4 | 3 | 2 | $\dfrac{3}{4}$ |

( )

**04** 페인트 3통으로 벽면 $4\dfrac{2}{5}$ m²를 칠했습니다. 페인트 한 통으로 칠한 벽면의 넓이는 몇 m²입니까?

식 _____

답 _____

벽면의 넓이를 페인트 통 수로 나눕니다.

**05** 식초 1 L는 병 3개에, 간장 3 L는 병 5개에 똑같이 나누어 담으려고 합니다. 나누어 담는 병의 모양과 크기가 같다면 식초와 간장 중 한 병에 더 많이 들어가는 것은 무엇입니까?

( )

**06** 계산을 하시오.

(1)
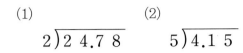
$$2 \overline{)24.78}$$

(2)
$$5 \overline{)4.15}$$

**08** 빈칸에 알맞은 수를 써넣으시오.

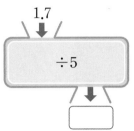

**09** 어림셈하여 몫의 소수점 위치가 올바른 식을 찾아 ○표 하시오.

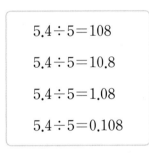

$5.4 \div 5 = 108$

$5.4 \div 5 = 10.8$

$5.4 \div 5 = 1.08$

$5.4 \div 5 = 0.108$

5.4를 5로 어림합니다.

**07** 빈칸에 알맞은 수를 써넣으시오.

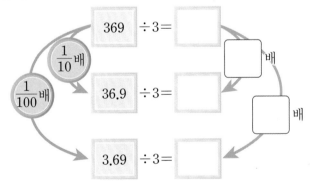

$369 \div 3 =$ [ ]

$36.9 \div 3 =$ [ ]

$3.69 \div 3 =$ [ ]

**10** 한 봉지에 감자가 5개씩 들어 있습니다. 20봉지의 무게가 9 kg일 때 감자 한 개의 무게의 평균을 소수로 나타내시오.

( )

**1** $4\frac{1}{3}$ m는 3 m의 몇 배입니까?

(            )

**2** 색 테이프 36.6 cm를 3개로 똑같이 잘랐을 때 한 개의 길이는 몇 cm입니까?

(                   )

# 창의·융합·코딩 전략 ❷

**1** 다음 코드를 실행했을 때 출력되는 분수를 구하시오.

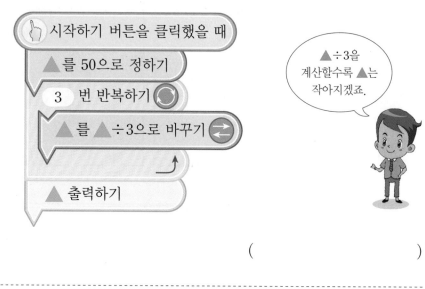

시작하기 버튼을 클릭했을 때

▲를 50으로 정하기

3 번 반복하기 ○

▲를 ▲÷3으로 바꾸기 ⇄

▲ 출력하기

▲÷3을 계산할수록 ▲는 작아지겠죠.

(                    )

**Tip**

50÷3의 계산 결과를 ❶  으로 나누고 그 몫을 다시 ❷  으로 나눕니다.

[답] ❶ 3  ❷ 3

**2** 두*격자 모양을 겹쳤을 때 색칠한 부분의 글씨만 적어서 나열하면 암호를 풀 수 있습니다. 암호를 풀어 계산하시오. (단, 첫째 줄부터 차례로 읽습니다.)

*격자: 바둑판처럼 가로세로를 일정한 간격으로 직각이 되게 짠 모양

| 일 | 과 | 오 | 삼 | 사 | 분 | 육 | 칠 |
|---|---|---|---|---|---|---|---|
| 분 | 의 | 나 | 일 | 누 | 곱 | 나 | 누 |
| 더 | 하 | 기 | 기 | 삼 | 은 | 영 | 칠 |

**식** _____    **답** _____

**Tip**

색칠한 부분과 같은 위치에 있는 글자를 모두 색칠하여 어떤 암호가 나오는지 알아봅니다.

글자를 숫자로 바꾸어 식을 만들면 ❶  ÷ ❷  이 됩니다.

[답] ❶ 1⅓  ❷ 3

**3** 수도권 지하철 1~5호선 노선도의 일부분입니다. 5호선을 타고 애오개에서 동대문역사문화공원까지 가는 데 11분이 걸린다면 한 개 역을 가는 데 걸리는 시간은 몇 분인 셈인지 분수로 나타내시오.
(단, 지하철이 역에 머무르는 시간은 생각하지 않습니다.)

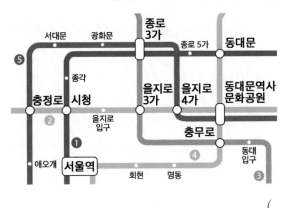

(            )

**Tip**

애오개에서 동대문역사문화공원까지는 **❶** 개 역을 가야 합니다.

**❷** 분을 역의 수 **❸** 으로 나누어 분수로 나타냅니다.

[답] ❶ 6 ❷ 11 ❸ 6

**4** ☐ 안에 들어갈 수 있는 수만 따라가 보시오.

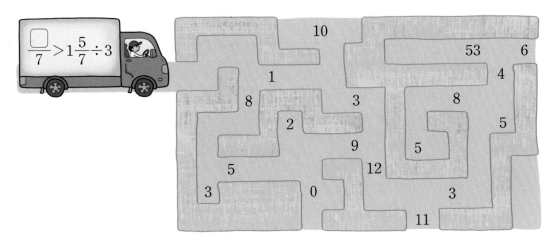

**Tip**

$1\frac{5}{7} \div 3 =$ **❶** 이므로 ☐ > **❷** 를 만족하는 ☐를 찾아봅니다.

[답] ❶ $\frac{4}{7}$ ❷ 4

# 창의·융합·코딩 전략 ❷

 창의 융합

**5** 태양과 태양 주변을 돌고 있는 지구를 비롯한 여러 행성들을 태양계라고 합니다. 화성의 반지름을 4 cm로 그렸을 때 지구의 반지름은 6.1 cm입니다. 지구의 반지름은 화성의 반지름의 몇 배입니까?

(                              )

> **Tip**
> ⓵ [      ]의 반지름의 길이를 ⓶ [      ]의 반지름의 길이로 나눕니다.

[답] ❶ 지구 ❷ 화성

코딩

**6** 순서도에 따라 계산했을 때 ⌐⌐⌐ 에 알맞은 답을 써넣으시오.

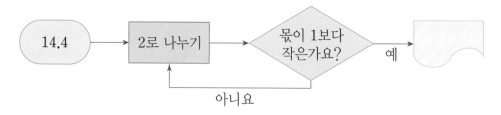

> **Tip**
> 14.4를 ⓵ [   ]로 여러 번 나누어서 몫이 ⓶ [   ]보다 작으면 답으로 씁니다.

[답] ❶ 2 ❷ 1

**7** 기호 👁에 대하여 A 👁 B=(A+1.5)÷B라고 약속할 때 다음을 계산하시오.

> 13 👁 2

(                          )

**Tip**

A에 13을 넣고 B에 ❶⬚를 넣어 계산합니다.

➡ (❷⬚+1.5)÷❸⬚

[답] ❶ 2 ❷ 13 ❸ 2

**8** 요술 상자에 소수와 자연수가 쓰여 있는 공을 넣으면 상자의 규칙에 따라 새로운 공이 나옵니다. 알맞은 규칙을 찾아 빈 공에 알맞은 수를 써넣으시오.

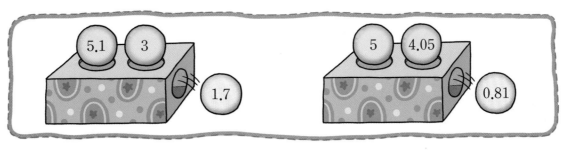

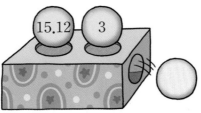

**Tip**

5.1÷3=❶⬚, 4.05÷5=❷⬚ 이므로 소수를 자연수로 나눈 몫이 나오는 규칙입니다.

[답] ❶ 1.7 ❷ 0.81

# 비와 비율,
# 여러 가지 그래프

오늘 날씨가 흐리네.

비가 곧 내리려나봐.

오늘 일기예보를 검색해 보니 비가 올 확률이 백분율로 75 % 라고 했어.

백분율?

백분율이란 기준량을 100으로 할 때의 비율을 말하는 거야.

기호 %를 사용해.

$$\frac{75}{100} = 75\%$$

우왓~. 비가 쏟아진다.

어서 학교 안으로 들어가자.

휴~ 하마터면 옷이 다 젖을 뻔했어.

지난 100일 동안 비가 많이 내린 것 같아.

❶ 두 수를 비교하고 비의 개념 알아보기

❷ 비율을 분수와 소수로 나타내기

❸ 비율을 백분율로 나타내기

❹ 그림그래프를 알아보고 나타내기

❺ 띠그래프를 알아보고 나타내기

❻ 원그래프를 알아보고 나타내기

지난 100일간 날씨별 날수

| 0 | 10 | 20 | 30 | 40 | 50 | 60 | 70 | 80 | 90 | 100(%) |

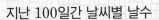

| 비 온 날 (45%) | 맑은 날 (40%) | 흐린 날 (15%) |

## 개념 1    비 알아보기

[관련 단원] 비와 비율

● 비: 두 수를 나눗셈으로 비교하기 위해 기호 : 을 사용하여 나타낸 것

두 수 2와 3을 비교할 때

비교하는 양 ⟶ ┌ 기준량

쓰기  2 : 3

읽기  2 대 3, 2와 3의 비,
2의 3에 대한 비,
3에 대한 2의 비

기호 : 의 오른쪽에
있는 수가 기준량,
왼쪽에 있는 수가
비교하는 양입니다.

두 수 3과 4를 비교할 때

쓰기  ❶ : ❷

읽기  ❸ 대 ❹

답  ❶ 3  ❷ 4  ❸ 3  ❹ 4

## 개념 2    비율 알아보기

[관련 단원] 비와 비율

● 비율: 기준량에 대한 비교하는 양의 크기

$$(비율) = (비교하는 양) \div (기준량) = \frac{(비교하는 양)}{(기준량)}$$

● 비를 비율로 나타내기

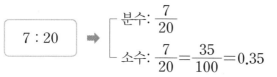

$7 : 20$  ⟹  ┌ 분수: $\frac{7}{20}$

└ 소수: $\frac{7}{20} = \frac{35}{100} = 0.35$

· (비율) = $\dfrac{(비교하는 양)}{(\boxed{❶})}$

· 비 3 : 10을 비율로 나타내면

$\boxed{❷}$  또는  $\boxed{❸}$ 입니다.

답  ❶ 기준량  ❷ $\frac{3}{10}$  ❸ 0.3

## 개념 3    백분율 알아보기

[관련 단원] 비와 비율

● 백분율: 기준량을 100으로 할 때의 비율

백분율은 기호 %를 사용하여 나타냅니다.

예  비율 $\frac{60}{100}$  ┌ 쓰기  60 %

└ 읽기  60 퍼센트

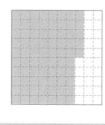

$\frac{75}{100} = 75 \%$

· 백분율은 기준량을 $\boxed{❶}$ 으로 할
때의 비율입니다.

· 비율 $\frac{45}{100}$ 를 $\boxed{❷}$ %라 쓰고

45 $\boxed{❸}$ 라고 읽습니다.

답  ❶ 100  ❷ 45  ❸ 퍼센트

**1-1** 그림을 보고 ☐ 안에 알맞은 수를 써넣으시오.

└ 사과 수와 딸기 수의 비 ➡ ☐ : ☐

└ 딸기 수와 사과 수의 비 ➡ ☐ : ☐

• **풀이** • 사과는 **❶** 개, 딸기는 **❷** 개입니다.

┌ 사과 수와 딸기 수의 비 ➡ 2 : 5

└ 딸기 수와 사과 수의 비 ➡ 5 : 2

답 **❶**2 **❷**5

**1-2** 그림을 보고 ☐ 안에 알맞은 수를 써넣으시오.

(사탕 수) : (밤 수) ➡ ☐ : ☐

(밤 수) : (사탕 수) ➡ ☐ : ☐

**2-1** 비율을 분수로 나타내시오.

(1) 6과 7의 비 ➡ $\frac{\square}{\square}$

(2) 8의 9에 대한 비 ➡ $\frac{\square}{\square}$

• **풀이** • (1) 6과 7의 비 ➡ 6 : **❶** ➡ $\frac{6}{❷}$

(2) 8의 9에 대한 비 ➡ 8 : **❸** ➡ $\frac{8}{❹}$

답 **❶**7 **❷**7 **❸**9 **❹**9

**2-2** 비율을 소수로 나타내시오.

(1) ｜ 1 대 5 ｜

➡ $\frac{1}{5} = \frac{\square}{10} = \square$

(2) ｜ 20에 대한 3의 비 ｜

➡ $\frac{3}{20} = \frac{\square}{100} = \square$

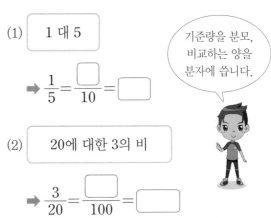

기준량을 분모, 비교하는 양을 분자에 씁니다.

**3-1** 비율을 백분율로 나타내시오.

｜ 4에 대한 1의 비 ｜

1 : 4 ➡ $\frac{1}{4} = \frac{\square}{100}$ ➡ ☐ %

• **풀이** • 기준량이 **❶** 이고, 비교하는 양이 **❷** 이므로 비율은 $\frac{1}{4}$ 이고,

$\frac{1}{4} = \frac{25}{100}$ 이므로 백분율은 **❸** %입니다.

답 **❶**4 **❷**1 **❸**25

**3-2** 비율을 백분율로 나타내시오.

｜ 4의 8에 대한 비 ｜

4 : 8 ➡ $\frac{\square}{8}$ ➡ $\frac{\square}{8} \times \square = \square$

➡ ☐ %

## 개념 4 그림그래프로 나타내기

[관련 단원] 여러 가지 그래프

아파트 동별 학생 수

| 동 | 101 | 102 | 103 | 104 |
|---|---|---|---|---|
| 학생 수(명) | 35 | 36 | 45 | 52 |

아파트 동별 학생 수

☺ 10명
☺ 1명

왼쪽 그림그래프에서

· ☺은 ❶ ⬚ 명, ☺은 ❷ ⬚ 명을 나타냅니다.

· 자료를 그림그래프로 나타내면 동별로 많고 적음을 쉽게 알 수 있습니다.

· 학생 수가 가장 많은 동은 ❸ ⬚ 동입니다.

답 ❶ 10 ❷ 1 ❸ 104

## 개념 5 띠그래프 알아보기

[관련 단원] 여러 가지 그래프

◉ **띠그래프**: 전체에 대한 각 부분의 비율을 띠 모양에 나타낸 그래프

혈액형별 학생 수

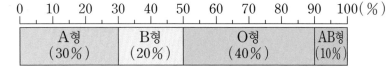

| A형 (30%) | B형 (20%) | O형 (40%) | AB형 (10%) |

왼쪽 띠그래프에서

· 작은 눈금 한 칸은 ❶ ⬚ %입니다.

· 학생 수가 가장 많은 혈액형은 ❷ ⬚ 형입니다.

답 ❶ 5 ❷ O

## 개념 6 원그래프 알아보기

[관련 단원] 여러 가지 그래프

◉ **원그래프**: 전체에 대한 각 부분의 비율을 원 모양에 나타낸 그래프

좋아하는 과일별 학생 수

사과 (25%)
딸기 (40%)
포도 (20%)
배 (15%)
0, 25, 50, 75

$\dfrac{(과일별 \ 학생 \ 수)}{(전체 \ 학생 \ 수)} \times 100$으로 백분율을 구하여 나타낸 것입니다.

왼쪽 원그래프에서

· 작은 눈금 한 칸은 ❶ ⬚ %입니다.

· 포도를 좋아하는 학생의 백분율은 ❷ ⬚ %입니다.

답 ❶ 5 ❷ 20

**4-1** ☐ 안에 알맞은 수를 써넣으시오.

지역별 초등학교 수

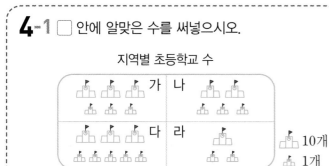

🚩 10개
⛳ 1개

다 지역의 초등학교는 ☐ 개입니다.

• 풀이 • 다 지역은 🚩 3개, ⛳ ❶ 개이므로 ❷ 개입니다.

답 ❶ 5 ❷ 35

**4-2** 그림그래프를 보고 ☐ 안에 알맞은 수를 써넣으시오.

지역별 도서관 수

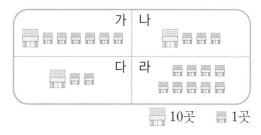

🏢 10곳 🏠 1곳

가 지역의 도서관은 ☐ 곳입니다.

**5-1** ☐ 안에 알맞게 써넣으시오.

태어난 계절별 학생 수

0 10 20 30 40 50 60 70 80 90 100(%)

| 봄 (25%) | 여름 (20%) | 가을 (30%) | 겨울 (25%) |

가장 많은 학생이 태어난 계절은 ☐ 입니다.

• 풀이 • 띠그래프에서 길이가 가장 ❶ 계절은 ❷ 입니다.

답 ❶ 긴 ❷ 가을

**5-2** 띠그래프를 보고 알맞은 것에 ◯표 하시오.

좋아하는 꽃별 학생 수

0 10 20 30 40 50 60 70 80 90 100(%)

| 튤립 (40%) | 장미 (30%) | 백합 (20%) | ← 벗꽃 (10%) |

가장 ( 많은 , 적은 ) 학생이 좋아하는 꽃은 벗꽃입니다.

**6-1** ☐ 안에 알맞은 수를 써넣으시오.

취미별 학생 수

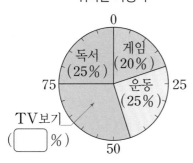

• 풀이 • 작은 눈금 한 칸이 ❶ %를 나타내므로 6칸은 ❷ %를 나타냅니다.

답 ❶ 5 ❷ 30

**6-2** 원그래프의 ☐ 안에 알맞은 수를 써넣으시오.

채소별 밭의 넓이

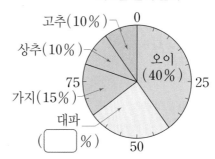

### 예제 1  두 수를 비교하기

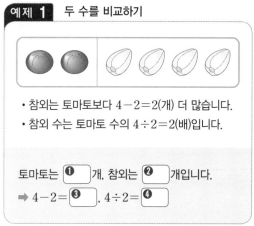

- 참외는 토마토보다 4−2=2(개) 더 많습니다.
- 참외 수는 토마토 수의 4÷2=2(배)입니다.

토마토는 ❶ 개, 참외는 ❷ 개입니다.

➡ 4−2=❸ , 4÷2=❹

[답] ❶2 ❷4 ❸2 ❹2

---

**1** 두 수를 비교하려고 합니다. ☐ 안에 알맞은 수를 써넣으시오.

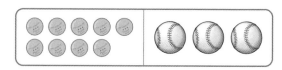

(1) 야구공은 탁구공보다 9−3=☐(개) 더 적습니다.

(2) 야구공 수는 탁구공 수의 3÷9=☐(배)입니다.

---

### 예제 2  비율 구하기

- 분수로 나타내기 ➡ 4 : 7 ➡ $\dfrac{4}{7}$

- 소수로 나타내기 ➡ 3 : 5 ➡ $\dfrac{3}{5}=\dfrac{6}{10}=0.6$

$(비율)=\dfrac{(비교하는 양)}{(기준량)}$

4 : 7의 비교하는 양은 ❶ , 기준량은 ❷

3 : 5의 비교하는 양은 ❸ , 기준량은 ❹

[답] ❶4 ❷7 ❸3 ❹5

---

**2** 비교하는 양과 기준량을 찾아 쓰고 비율을 구하시오.

| 비 | 비교하는 양 | 기준량 | 비율 |
|---|---|---|---|
| 7과 20의 비 | | | |
| 10에 대한 3의 비 | | | |

---

### 예제 3  백분율 구하기

- $\dfrac{27}{100}$ 을 백분율로 나타내기

  $\dfrac{27}{100} \times 100 = 27$이므로 27 %

  27 % ➡ [읽기] 27퍼센트

비율에 ❶ 을 곱하면 백 ❷ 로 나타낼 수 있습니다.

[답] ❶100 ❷분율

---

**3** 빈칸에 알맞은 수를 써넣으시오.

| 분수 | 소수 | 백분율(%) |
|---|---|---|
| $\dfrac{3}{50}$ | | |
| $\dfrac{5}{8}$ | | |

**예제 4** 그림그래프

마을별 학생 수

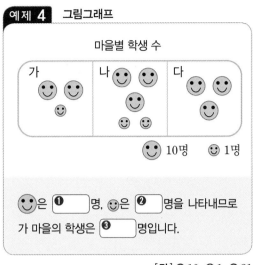

☺ 10명  ☺ 1명

☺은 **❶**[　　]명, ☺은 **❷**[　　]명을 나타내므로
가 마을의 학생은 **❸**[　　]명입니다.

[답] **❶** 10 **❷** 1 **❸** 21

**4** 그림그래프를 보고 [ ] 안에 알맞은 수를 써넣으시오.

마을별 병원 수

➕ 10곳
➕ 1곳

(1) 나 마을: ➕ [　] 개, ➕ [　] 개 ➡ [　] 곳

(2) 다 마을: ➕ [　] 개, ➕ [　] 개 ➡ [　] 곳

**예제 5** 띠그래프

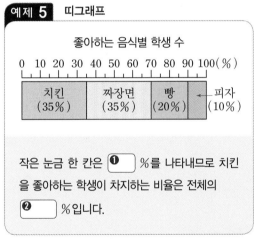

작은 눈금 한 칸은 **❶**[　　] %를 나타내므로 치킨
을 좋아하는 학생이 차지하는 비율은 전체의
**❷**[　　] %입니다.

[답] **❶** 5 **❷** 35

**5** 표와 띠그래프의 빈 곳에 알맞은 수를 써넣으시오.

전교 학생 회장 후보자별 득표 수

| 이름 | 성민 | 준희 | 리아 | 우진 | 합계 |
|------|------|------|------|------|------|
| 득표 수(표) | 100 | 50 | 75 | 25 | 250 |
| 백분율(%) |  | 20 |  | 10 | 100 |

전교 학생 회장 후보자별 득표 수

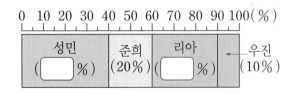

**예제 6** 원그래프

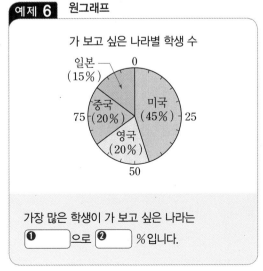

가장 많은 학생이 가 보고 싶은 나라는
**❶**[　　]으로 **❷**[　　] %입니다.

[답] **❶** 미국 **❷** 45

**6** 오른쪽 원그래프를 보고 [ ] 안에 알맞은 수나 말을 써넣으시오.

좋아하는 색깔별 학생 수

노랑(20%) 보라(30%) 초록(25%) 분홍(25%)

(1) 가장 많은 학생이 좋아하는
색깔은 [　　]로 [　] %
입니다.

(2) 가장 적은 학생이 좋아하는 색깔은 [　　]으로
[　] %입니다.

[관련 단원] 비와 비율

**전략 1   변하는 두 양을 비교하기**

예 모둠 수에 따른 모둠원 수와 피자 조각 수 비교하기

| 모둠 수 | 1 | 2 | 3 | 4 | 5 |
|---|---|---|---|---|---|
| 모둠원 수(명) | 3 | 6 | 9 | 12 | 15 |
| 피자 조각 수(조각) | 6 | 12 | 18 | 24 | 30 |

(1) 뺄셈으로 비교하기: 모둠 수에 따라 피자 조각 수는 모둠원 수보다 각각 3, 6, ❶ , ❷ , ❸ 가 더 큽니다.

(2) 나눗셈으로 비교하기: 피자 조각 수는 항상 모둠원 수의 ❹ 배입니다.

답 ❶ 9 ❷ 12 ❸ 15 ❹ 2

**필수 예제 | 01 |**

어느 마트에서 과자 4봉지에 초콜릿을 2개씩 묶어 판매합니다. 묶음 수에 따른 과자 수와 초콜릿 수를 뺄셈과 나눗셈으로 각각 비교하시오.

| 묶음 수(묶음) | 1 | 2 | 3 | 4 | 5 |
|---|---|---|---|---|---|
| 과자 수(봉지) | 4 | 8 | 12 | 16 | 20 |
| 초콜릿 수(개) | 2 | 4 | 6 | 8 | 10 |

(1) 뺄셈으로 비교하기: _____

(2) 나눗셈으로 비교하기: _____

풀이 | (1) 과자 수에서 초콜릿 수를 빼면 4−2=2, 8−4=4, 12−6=6, 16−8=8, 20−10=10
　　　(2) 과자 수를 초콜릿 수로 나누면 4÷2=2, 8÷4=2, 12÷6=2, 16÷8=2, 20÷10=2

## 확인 1-1

정후 나이와 현후 나이 사이의 관계를 뺄셈으로 비교하시오.

| | 올해 | 1년 후 | 2년 후 | 3년 후 |
|---|---|---|---|---|
| 정후 나이(살) | 15 | 16 | 17 | 18 |
| 현후 나이(살) | 11 | 12 | 13 | 14 |

## 확인 1-2

금액에 따른 100원짜리와 10원짜리 동전 수를 나눗셈으로 비교하시오.

| 금액(원) | 100 | 200 | 300 | 400 |
|---|---|---|---|---|
| 100원짜리(개) | 1 | 2 | 3 | 4 |
| 10원짜리(개) | 10 | 20 | 30 | 40 |

## 전략 2   그림에 색칠하기 [관련 단원] 비와 비율

**예** 전체에 대한 색칠한 부분의 비가 5 : 12가 되도록 색칠하기

(1) 비교하는 양과 기준량 찾기: 색칠한 부분이 비교하는 양이고 전체가 ❶ [　　　　]입니다.

(2) 색칠한 칸 수 구하기: '5 : 12'에서 비교하는 양은 ❷ [　], 기준량은 ❸ [　]입니다.

(3) 전체가 12칸이므로 ❹ [　]칸을 색칠합니다.

답 ❶ 기준량 ❷ 5 ❸ 12 ❹ 5 ❺ 예

### 필수예제 02

전체에 대한 색칠한 부분의 비가 2 : 3이 되도록 색칠하시오.

(1) 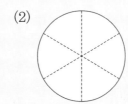   (2)

■ : ▲
부분  전체

풀이 | 2 : 3에서 비교하는 양(색칠한 부분)이 2, 기준량(전체)이 3입니다.

(1) 3칸 중 2칸에 색칠합니다.

(2) 전체를 2칸씩 나누면 3등분이 되고 그중 2부분, 즉 4칸에 색칠합니다.

## 확인 2-1

비율만큼 그림에 색칠하시오.

[ 0.75 ]

## 확인 2-2

백분율만큼 그림에 색칠하시오.

[ 50 % ]

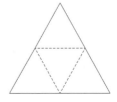

**전략 3** 띠그래프, 원그래프에서 몇 배인지 구하기

[관련 단원] 여러 가지 그래프

예 딸기우유를 좋아하는 학생 수는 흰 우유를 좋아하는 학생 수의 몇 배인지 구하기

좋아하는 우유의 종류별 학생 수

| 0 10 20 30 40 50 60 70 80 90 100 (%) |

| 바나나우유<br>(40%) | 딸기우유<br>(30%) | 초코우유<br>(20%) | 흰 우유<br>(10%) |

(1) 딸기우유를 좋아하는 학생의 비율: [❶    ] %, 흰 우유를 좋아하는 학생의 비율: [❷    ] %

(2) 몇 배인지 구하기: [❸    ] ÷ [❹    ] = [❺    ] (배)

답 ❶ 30 ❷ 10 ❸ 30 ❹ 10 ❺ 3

**필수예제 | 03 |**

오른쪽은 서진이네 학교 학생들이 등교할 때 이용하는 교통수단을 조사하여 나타낸 원그래프입니다. 도보로 등교하는 학생 수는 버스를 타고 등교하는 학생 수의 몇 배입니까?

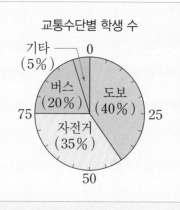

교통수단별 학생 수

(                    )

풀이 | 도보로 등교하는 학생의 비율: 40 %, 버스로 등교하는 학생의 비율: 20 % ➡ 40÷20=2(배)

## 확인 3-1

여훈이네 학교 학생들이 좋아하는 계절을 조사하여 나타낸 띠그래프입니다. 봄을 좋아하는 학생 수는 겨울을 좋아하는 학생 수의 몇 배입니까?

좋아하는 계절별 학생 수

(                    )

## 확인 3-2

오른쪽 원그래프에서 군것질에 사용한 금액은 저금에 사용한 금액의 약 몇 배입니까?

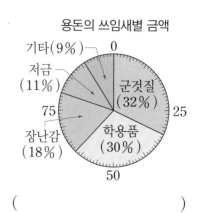

용돈의 쓰임새별 금액

(                    )

## 전략 4  반올림하여 그림그래프로 나타내기  [관련 단원] 여러 가지 그래프

**예** 어느 나라의 도시별 인구수를 보고 반올림하여 만의 자리까지 나타내어 그림그래프로 나타내기

도시별 인구수

| 도시 | 가 | 나 | 다 | 라 |
|---|---|---|---|---|
| 인구수(명) | 313456 | 562784 | 534833 | 145673 |
| 어림값(명) | | | | |

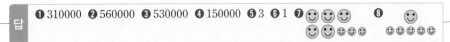

도시별 인구수

😊10만 명  🙂1만 명

(1) 인구수를 반올림하여 만의 자리까지 나타내기:

가 **❶**[       ]명, 나 **❷**[       ]명, 다 **❸**[       ]명, 라 **❹**[       ]명

(2) 그림그래프로 나타내기:

가 (😊 3개, 🙂 1개), 나 (😊 5개, 🙂 6개), 다 (😊 5개, 🙂 **❺**[   ]개), 라 (😊 **❻**[   ]개, 🙂 5개)

**답**  ❶ 310000  ❷ 560000  ❸ 530000  ❹ 150000  ❺ 3  ❻ 1  ❼ 😊😊😊🙂  ❽ 😊😊🙂🙂🙂 🙂🙂🙂🙂🙂

### 필수 예제 04

방문자 수를 반올림하여 백의 자리까지 나타내고, 반올림한 값으로 그림그래프를 나타내시오.

스키장별 방문자 수

| 스키장 | 가 | 나 | 다 | 라 |
|---|---|---|---|---|
| 방문자 수(명) | 1045 | 1567 | 4451 | 4261 |
| 어림값(명) | | | | |

스키장별 방문자 수

😊1000명  🙂100명

**풀이** | 가: 1045 ➡ 1000, 나: 1567 ➡ 1600, 다: 4451 ➡ 4500, 라: 4261 ➡ 4300

## 확인 4-1

위 **전략 4**의 어림값을 그림그래프로 나타내시오.

도시별 인구수

| 가 | 나 |
|---|---|
| 다 | 라 |

◎10만 명
○5만 명
○1만 명

## 확인 4-2

위 **필수** 예제 04의 어림값을 그림그래프로 나타내시오.

스키장별 방문자 수

| 가 | 나 |
|---|---|
| 다 | 라 |

◎1000명
○500명
○100명

# 필수 체크 전략 ❷

[관련 단원] **비와 비율**

**1** 기준량이 비교하는 양보다 작은 경우를 모두 찾아 기호를 쓰시오.

㉠ $\frac{8}{3}$ ㉡ 0.87 ㉢ 65 % ㉣ $\frac{1}{2}$ ㉤ 120 %

( )

**Tip**
- 비율을 분수로 나타내어 기준량과 비교하는 양이 무엇인지 각각 알아봅니다.
- 기준량 ❶ ◯ ❷ [ ] 인 경우를 찾습니다.

답 ❶ < ❷ 비교하는 양

[관련 단원] **비와 비율**

**2** 은지가 수족관에 갔습니다. 수족관 입장료는 22000원인데 은지는 할인권을 이용하여 17600원을 냈습니다. 은지는 몇 %를 할인받았습니까?

( )

**Tip**
- 얼마만큼 할인받았는지 ❶ [ ]000−❷ [ ]00을 계산하여 구합니다.
- 원래 입장료에 대한 할인받은 만큼의 가격의 백분율을 구합니다.

답 ❶ 22 ❷ 176

[관련 단원] **비와 비율**

**3** 소현이는 물에 레몬 원액 10 mL를 넣어 레몬주스 200 mL를 만들었고, 지수는 물에 레몬 원액 45 mL를 넣어 레몬주스 300 mL를 만들었습니다. 두 사람의 ❶레몬주스 양에 대한 레몬 원액 양의 비율을 소수로 각각 구하고, ❷누가 만든 레몬주스가 더 진한지 쓰시오.

소현 ( ), 지수 ( )

( )가 만든 레몬주스가 더 진합니다.

**Tip**
❶ $\frac{(\text{레몬 원}❶\square\ \text{양})}{(❷\square\ \text{양})}$으로 비율을 각각 구합니다.
❷ 두 비율 중 비율이 더 큰 것이 더 진한 것입니다.

답 ❶ 액 ❷ 레몬주스

[ 관련 단원 ] **여러 가지 그래프**

**4** 과수원 ❷네 곳의 배 생산량의 합이 2000 kg입니다. 그림그래프를 완성하시오.

과수원별 배 생산량

🍐 100 kg　　🔴 10 kg

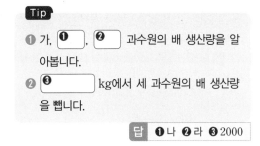
[ 관련 단원 ] **여러 가지 그래프**

**5** 지역별 고구마 생산량을 나타낸 그림그래프를 보고 원그래프로 나타내시오.

지역별 고구마 생산량

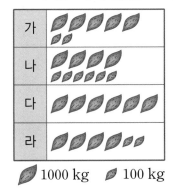

🍠 1000 kg　　🍠 100 kg

지역별 고구마 생산량

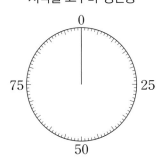

[ 관련 단원 ] **여러 가지 그래프**

**6** 띠그래프를 보고 알 수 있는 내용을 두 가지 쓰시오.

받고 싶은 선물별 학생 수

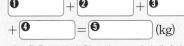

| 학용품 (35%) | 장난감 (30%) | 게임기 (15%) | 옷 (15%) | 기타 (5%) |
|---|---|---|---|---|

① _____

② _____

**전략 1**  문장을 읽고 비와 비율 구하기

[관련 단원] 비와 비율

> **예** 남학생은 18명, 여학생은 19명일 때 여학생 수에 대한 남학생 수의 비 구하기
>
> (1) 기준량과 비교하는 양 찾기: 기준량은 여학생 수이고,
>
> 비교하는 양은 ❶[        ] 수입니다.
>
> (2) 비 구하기: 기준량이 19이고, 비교하는 양이 ❷[      ]이므로
>
> 비를 구하면 ❸[    ] : ❹[    ]입니다.

■에 대한 ▲의 비는
▲ : ■입니다.

답 ❶남학생 ❷18 ❸18 ❹19

### 필수 예제 | 01 |

도서관에 어른이 24명, 아이가 31명 있습니다. 도서관에 있는 전체 사람 수에 대한 아이 수의 비를 구하시오.

(1) 전체 사람 수를 구하시오.

(                              )

(2) 전체 사람 수에 대한 아이 수의 비를 구하시오.

(                              )

풀이 | (1) 전체 사람 수는 어른 수와 아이 수의 합입니다. ➡ 24＋31＝55(명)

(2) 전체 사람 수에 대한 아이 수의 비 ➡ 31 : 55
　　　55(기준량)　　　31(비교하는 양)

## 확인 1-1

직사각형의 가로에 대한 세로의 비율을 소수로 나타내시오.

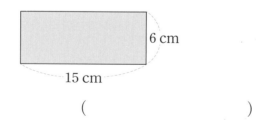

6 cm
15 cm

(                    )

## 확인 1-2

진수는 50 m를 달리는 데 13초가 걸렸습니다. 진수가 50 m를 달리는 데 걸린 시간에 대한 달린 거리의 비율을 대분수로 나타내시오.

(                    )

## 전략 2  색칠한 부분을 백분율로 나타내기

[관련 단원] 비와 비율

예 그림을 보고 전체에 대한 색칠한 부분의 비율을 백분율로 나타내기

(색칠한 칸수) / (전체 칸수)

(1) 비율 구하기: 전체 20칸 중 ❶[    ]칸에 색칠했으므로 전체에 대한 색칠한 부분의 비율은 $\dfrac{❷\,[\ \ ]}{20}$ 입니다.

(2) 백분율로 나타내기: 백분율로 나타내면 ❸[    ] ×100＝❹[    ]이므로 ❺[    ] % 입니다.

답  ❶ 14  ❷ 14  ❸ $\dfrac{14}{20}$  ❹ 70  ❺ 70

### 필수 예제 | 02 |

그림을 보고 전체에 대한 색칠한 부분의 비율을 백분율로 나타내시오.

(1)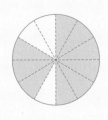

(              )

(2)

(              )

풀이 | (1) 전체 4칸 중 1칸에 색칠했으므로 전체에 대한 색칠한 부분의 비율은 $\dfrac{1}{4}$입니다. ➡ $\dfrac{1}{4}×100＝25$이므로 25 %

(2) 전체 12칸 중 9칸에 색칠했으므로 전체에 대한 색칠한 부분의 비율은 $\dfrac{9}{12}$입니다. ➡ $\dfrac{9}{12}×100＝75$이므로 75 %

## 확인 2-1

그림을 보고 전체에 대한 색칠하지 않은 부분의 비율을 백분율로 나타내시오.

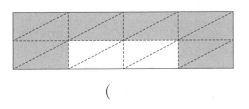

(                    )

## 확인 2-2

그림을 보고 색칠하지 않은 부분에 대한 색칠한 부분의 비율을 백분율로 나타내시오.

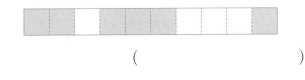

(                    )

## 전략 3  백분율을 구하여 띠그래프, 원그래프로 나타내기

[관련 단원] 여러 가지 그래프

예 표를 보고 백분율을 구하여 띠그래프로 나타내기

좋아하는 채소별 학생 수

| 채소 | 오이 | 양상추 | 당근 | 기타 | 합계 |
|------|------|--------|------|------|------|
| 학생 수(명) | 120 | 75 | 60 | 45 | 300 |
| 백분율(%) | ❶ | ❷ | 20 | 15 | ❸ |

좋아하는 채소별 학생 수

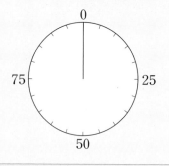

0 10 20 30 40 50 60 70 80 90 100(%)

| ❻ (40%) | 양상추 ❼ % | 당근 (20%) | 기타 (15%) |

(1) 채소별 백분율과 합계를 구하여 표의 빈칸 채우기

(2) 띠그래프로 나타내기: 오이 8칸, 양상추 ❹ ☐ 칸, 당근 ❺ ☐ 칸, 기타 3칸으로 나타냅니다.

답  ❶ 40  ❷ 25  ❸ 100  ❹ 5  ❺ 4  ❻ 오이  ❼ 25

### 필수 예제 03

표를 보고 백분율을 구하여 오른쪽 원그래프로 나타내시오.

좋아하는 과목별 학생 수

| 과목 | 국어 | 영어 | 수학 | 사회 | 기타 | 합계 |
|------|------|------|------|------|------|------|
| 학생 수(명) | 60 | 50 | 40 | 40 | 10 | 200 |
| 백분율(%) | | | | | | |

좋아하는 과목별 학생 수

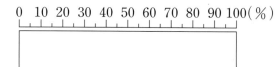

풀이 | 백분율을 각각 구하여 국어 6칸, 영어 5칸, 수학, 사회 4칸, 기타 1칸으로 나타냅니다.

## 확인 3-1

표를 보고 띠그래프로 나타내시오.

키우고 싶은 반려동물별 학생 수

| 반려동물 | 개 | 고양이 | 기타 | 합계 |
|----------|-----|--------|------|------|
| 학생 수(명) | 64 | 56 | 40 | 160 |

키우고 싶은 반려동물별 학생 수

0 10 20 30 40 50 60 70 80 90 100(%)

## 확인 3-2

표를 보고 원그래프로 나타내시오.

어느 나라의 무역액

| | 무역액(달러) |
|------|------|
| 수입 | 470억 |
| 수출 | 530억 |
| 합계 | 1000억 |

어느 나라의 무역액

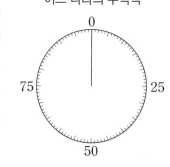

▶정답 및 풀이 13쪽

**전략 4** 항목의 수 구하기　　　　　　　　[ 관련 단원 ] 여러 가지 그래프

**예** 조사한 전체 학생이 20명일 때 장래 희망이 의사인 학생은 몇 명인지 구하기

장래 희망별 학생 수

| 0 10 20 30 | 40 50 60 | 70 80 | 90 100(%) |
|---|---|---|---|

| 의사<br>(35%) | 선생님<br>(25%) | 운동선수<br>(20%) | 가수<br>(15%) | 기타<br>(5%) |

(1) 장래 희망이 의사인 학생의 백분율 알아보기: **❶**　　　 %

(2) 장래 희망이 의사인 학생 수 구하기: 전체 학생이 **❷**　　　명이므로 **❸**　　　× 0.**❹**　　　= **❺**　　　(명)

답 ❶ 35 ❷ 20 ❸ 20 ❹ 35 ❺ 7

### 필수예제 | 04 |

조사한 전체 학생이 200명일 때 오른쪽 원그래프를 보고 좋아하는 간식이 사탕인 학생은 몇 명인지 구하시오.

좋아하는 간식별 학생 수

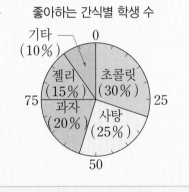

　　　× 　　　= 　　　(명)

**풀이 |** 사탕을 좋아하는 학생은 전체 학생의 25 %이므로 200×0.25=50(명)입니다.

## 확인 4-1

학급 도서관에 책이 모두 50권 있습니다. 띠그래프를 보고 학급 도서관에 있는 과학책은 몇 권인지 구하시오.

책 종류별 권수

| 0 10 20 30 40 50 60 70 80 90 100(%) |
|---|

| 동화책 | 위인전 | 과학책 | 기타 |

(　　　　　　　　　)

## 확인 4-2

오른쪽은 학생 300명이 방학 동안 하고 싶은 일을 조사하여 나타낸 원그래프입니다. 공부를 하고 싶은 학생은 몇 명입니까?

(　　　　　　　　　)

하고 싶은 일별 학생 수

기타<br>(17%)　여행<br>(37%)　공부　수영<br>(26%)

[관련 단원] **비와 비율**

**1** 두 직사각형 중 가로에 대한 세로의 비율이 더 큰 것의 기호를 쓰시오.

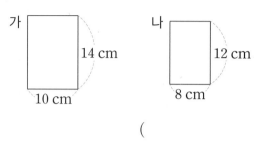

가 14 cm / 10 cm

나 12 cm / 8 cm

( )

**Tip**

· 비율을 $\dfrac{(\text{❶ }\boxed{\phantom{00}}\text{로})}{(\text{❷ }\boxed{\phantom{00}}\text{로})}$ 로 각각 구합니다.

· 두 비율의 크기를 비교합니다.

**답** ❶ 세 ❷ 가

[관련 단원] **비와 비율**

**2** 넓이가 300 m²인 학교 강당에 넓이가 36 m²인 무대를 만들려고 합니다. 강당이 다음과 같다면 무대의 넓이만큼 색칠하시오.

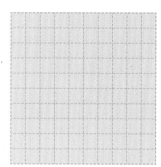

전체 칸 수는 100칸입니다.

**Tip**

· 강당 넓이에 대한 무대 넓이의 비율을 구합니다. ➡ $\dfrac{❶\boxed{\phantom{00}}}{300} = \dfrac{❷\boxed{\phantom{00}}}{100}$

· 그림이 전체 100칸이므로 기준량이 100이 되었을 때 비교하는 양만큼 색칠합니다.

**답** ❶ 36 ❷ 12

[관련 단원] **비와 비율**

**3** ❶진하기가 13 %인 소금물 1 kg을 만들려면 ❷물이 몇 g 필요합니까?

( )

**Tip**

❶ 1 kg=❶$\boxed{\phantom{00}}$ g이므로 소금물에 들어 있는 소금의 양은 (1000×0.❷$\boxed{\phantom{00}}$) g입니다.

❷ 소금물의 양에서 위 ❶에서 구한 양을 빼서 필요한 물의 양을 구합니다.

**답** ❶ 1000 ❷ 13

**4** [관련 단원] **여러 가지 그래프**

어느 학교의 남녀 학생 수와 여학생 중 안경 쓴 학생을 조사하여 나타낸 것입니다. 전체 학생 수가 600명일 때 안경 쓴 여학생은 몇 명인지 구하시오.

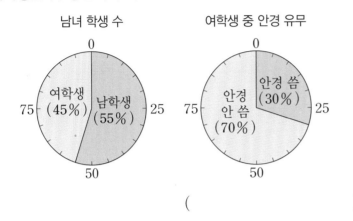

남녀 학생 수

여학생 중 안경 유무

(                                    )

**5** [관련 단원] **여러 가지 그래프**

서은이네 학교 학생 300명이 배우고 싶은 운동을 조사하여 나타낸 것입니다. ❶수영을 배우고 싶은 학생은 태권도를 배우고 싶은 학생보다 ❷몇 명 더 많습니까?

운동별 학생 수

| 0 10 20 30 40 50 60 70 80 90 100(%) |
|---|

| 수영 (32%) | 태권도 (24%) | 축구 (20%) | 테니스 (14%) | 기타 (10%) |
|---|---|---|---|---|

(                                    )

**6** [관련 단원] **여러 가지 그래프**

2년 간격으로 어느 회사의 제품별 판매량을 나타낸 띠그래프입니다. 2021년의 C 제품 판매 비율은 2017년의 약 몇 배입니까?

제품별 판매량

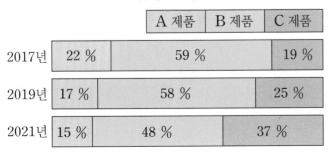

| | A 제품 | B 제품 | C 제품 |
|---|---|---|---|
| 2017년 | 22 % | 59 % | 19 % |
| 2019년 | 17 % | 58 % | 25 % |
| 2021년 | 15 % | 48 % | 37 % |

(                                    )

**대표 예제 01**

직사각형의 가로와 세로를 뺄셈과 나눗셈으로 각각 비교하시오.

- 뺄셈으로 비교하기:

_____

- 나눗셈으로 비교하기:

_____

**개념가이드**

나눗셈으로 비교하기는 (❶ ☐ )÷(세로) 또는
(❷ ☐ )÷(가로)로 비교합니다.

[답] ❶ 가로 ❷ 세로

**대표 예제 02**

동전 한 개를 8번 던져서 다음과 같이 나왔습니다. 동전을 던진 횟수에 대한 숫자 면이 나온 횟수의 비율을 분수로 나타내시오.

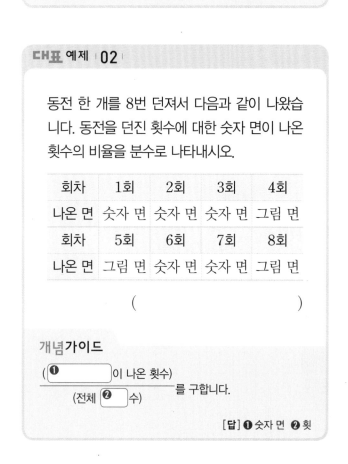

| 회차 | 1회 | 2회 | 3회 | 4회 |
|------|------|------|------|------|
| 나온 면 | 숫자 면 | 숫자 면 | 숫자 면 | 그림 면 |
| 회차 | 5회 | 6회 | 7회 | 8회 |
| 나온 면 | 그림 면 | 숫자 면 | 숫자 면 | 그림 면 |

( )

**개념가이드**

$$\frac{(❶☐ 이\ 나온\ 횟수)}{(전체 ❷☐ 수)}$$ 를 구합니다.

[답] ❶ 숫자 면 ❷ 횟

**대표 예제 03**

세호네 반 남학생은 15명이고, 여학생은 13명입니다. 세호네 반 여학생 수와 남학생 수의 비를 구하시오.

( )

**개념가이드**

여학생 수와 남학생 수의 비
➡ (❶ ☐ 학생 수) : (❷ ☐ 학생 수)

[답] ❶ 여 ❷ 남

**대표 예제 04**

두 마을의 넓이에 대한 인구의 비율을 각각 구하고, 두 마을 중 인구가 더 밀집한 곳은 어디인지 쓰시오.

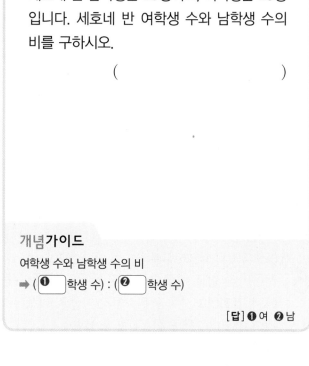

| 마을 | 달빛 마을 | 별빛 마을 |
|------|-----------|-----------|
| 인구(명) | 6800 | 5700 |
| 넓이(km²) | 5 | 4 |
| 넓이에 대한 인구의 비율 | | |

( )

**개념가이드**

$$\frac{(❶☐)}{(넓이)}$$ 를 각각 구하여 값이 더 ❷☐ 것을 답으로 합니다.

[답] ❶ 인구 ❷ 큰

분수와 소수에 100을 곱하면 백분율이 돼.

## 대표 예제 | 05 |

백분율로 나타낸 것이 맞으면 ○표, 틀리면 ×표 하시오.

$\dfrac{13}{5}$ ➡ 26 %   (       )

0.02 ➡ 20 %   (       )

1.3 ➡ 130 %   (       )

### 개념가이드

백분율을 계산하는 식은 $\left(\dfrac{13}{5} \times \boxed{①}\right)$,

$(0.02 \times \boxed{②})$, $(1.3 \times \boxed{③})$입니다.

[답] ❶ 100  ❷ 100  ❸ 100

## 대표 예제 | 06 |

가위가 16개, 풀이 4개 있습니다. 가위 수에 대한 풀 수의 비율을 분수와 소수로 각각 나타내시오.

분수 (             )
소수 (             )

### 개념가이드

기준량은 가위 수이고, 비교하는 양은 $\boxed{①}$ 수입니다.

$\dfrac{(\boxed{②} \ \text{수})}{(가위 \ 수)}$로 비율을 나타냅니다.

[답] ❶ 풀  ❷ 풀

## 대표 예제 | 07 |

장우와 희준이는 농구 연습을 했습니다. 장우와 희준이의 골 성공률은 각각 몇 %인지 구하고, 누구의 골 성공률이 더 높은지 쓰시오.

|  | 공을 던진 횟수(번) | 골대에 넣은 횟수(번) | 골 성공률 (%) |
|---|---|---|---|
| 장우 | 25 | 13 | |
| 희준 | 20 | 11 | |

(                     )

### 개념가이드

장우: $\dfrac{\boxed{①}}{25}$, 희준: $\dfrac{11}{\boxed{②}}$로 비율을 구하고

$\boxed{③}$을 곱하여 백분율을 구합니다.

[답] ❶ 13  ❷ 20  ❸ 100

## 대표 예제 | 08 |

그림을 보고 전체에 대한 색칠한 부분의 비율을 백분율로 나타내시오.

(                     )

### 개념가이드

전체는 $\boxed{①}$ 칸이고, 그중 $\boxed{②}$ 칸에 색칠했습니다.

$\dfrac{(색칠한 \ 칸 \ 수)}{(전체 \ 칸 \ 수)}$에 $\boxed{③}$을 곱합니다.

[답] ❶ 10  ❷ 6  ❸ 100

대표 예제 09

두 번째로 초등학교가 적은 권역을 쓰시오.

권역별 초등학교 수

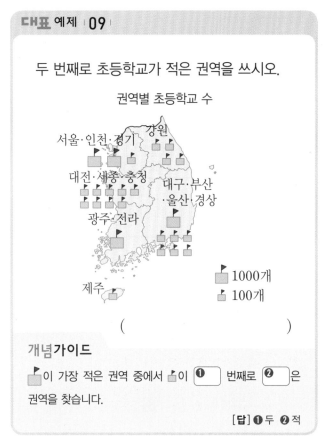

( )

개념가이드

🏳이 가장 적은 권역 중에서 🚩이 ❶ 번째로 ❷ 은 권역을 찾습니다.

[답] ❶두 ❷적

대표 예제 10

표의 빈칸을 채우고 띠그래프로 나타내시오.

가고 싶은 체험 학습 장소별 학생 수

| 장소 | 놀이공원 | 전시회 | 공연장 | 기타 | 합계 |
|---|---|---|---|---|---|
| 학생 수(명) | | 90 | 60 | 30 | 300 |
| 백분율(%) | | | 20 | 10 | 100 |

가고 싶은 체험 학습 장소별 학생 수

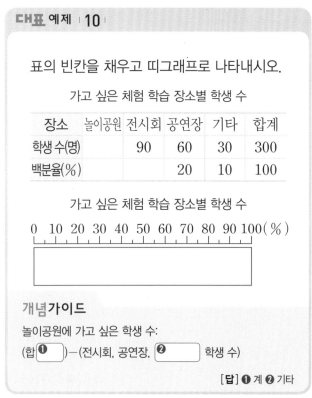

개념가이드

놀이공원에 가고 싶은 학생 수:

(합❶ )−(전시회, 공연장, ❷ 학생 수)

[답] ❶계 ❷기타

대표 예제 11

피아노나 바이올린을 배우고 싶은 학생 수의 비율은 전체의 몇 %인지 구하시오.

배우고 싶은 악기별 학생 수

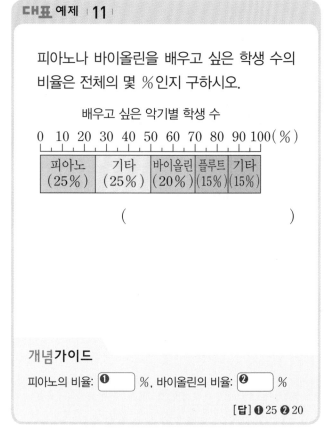

( )

개념가이드

피아노의 비율: ❶ %, 바이올린의 비율: ❷ %

[답] ❶25 ❷20

대표 예제 12

쌀의 양은 보리의 양의 몇 배입니까?

생산하는 곡물의 양

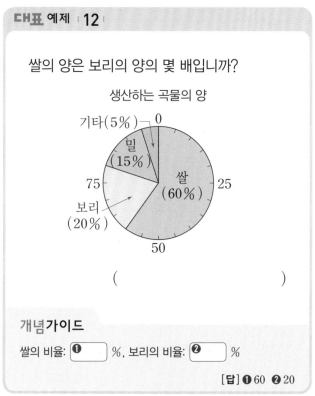

( )

개념가이드

쌀의 비율: ❶ %, 보리의 비율: ❷ %

[답] ❶60 ❷20

잘 할 수 있어!

## 대표 예제 | 13 |

표를 보고 원그래프로 나타내시오.

가고 싶은 장소별 학생 수

| 장소 | 학생 수(명) |
|------|-----------|
| 경주 | 68 |
| 여수 | 56 |
| 강릉 | 40 |
| 기타 | 36 |
| 합계 | 200 |

가고 싶은 장소별 학생 수

### 개념가이드

$(백분율) = \dfrac{(장소별\ 학생\ 수)}{(❶ \boxed{\phantom{0}}00)} \times ❷\boxed{\phantom{00}}$

[답] ❶ 2 ❷ 100

## 대표 예제 | 14 |

자료를 그래프로 나타낼 때 어떤 그래프가 가장 좋을지 선으로 이으시오.

| 내 몸무게의 월별 변화 | · | · | 원 그래프 |
| 권역별 강수량 | · | · | 꺾은선 그래프 |
| 우리 반 친구들이 좋아하는 색깔 | · | · | 그림 그래프 |

### 개념가이드

• 시간에 따른 변화를 알아보기 좋은 것: ❶ \boxed{\phantom{00}} 그래프

[답] ❶ 꺾은선

## 대표 예제 | 15 |

종이류가 700 kg이라면 비닐류는 몇 kg입니까?

재활용품별 배출량

0  10  20  30  40  50  60  70  80  90  100 (%)

| 종이류 (30%) | 플라스틱류 (30%) | 캔류 (25%) | 비닐류 (15%) |

(                              )

### 개념가이드

종이류는 비닐류의 (❶ \boxed{\phantom{00}} ÷ ❷ \boxed{\phantom{00}})배입니다.

[답] ❶ 30 ❷ 15

## 대표 예제 | 16 |

600명을 대상으로 조사했을 때 19세 이하는 몇 명입니까?

연령별 인구 구성비

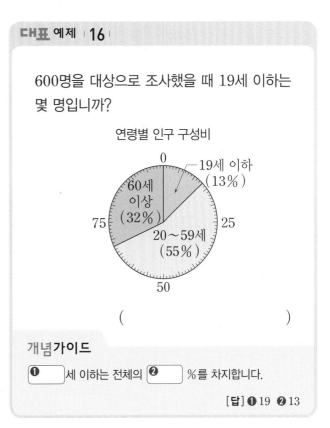

(                              )

### 개념가이드

❶ \boxed{\phantom{00}}세 이하는 전체의 ❷ \boxed{\phantom{00}} %를 차지합니다.

[답] ❶ 19 ❷ 13

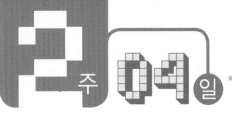
**1** 두 직사각형의 가로에 대한 세로의 비율의 크기를 비교하시오.

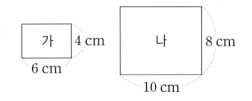

가 4 cm
6 cm

나 8 cm
10 cm

---

Tip

가로에 대한 세로의 비율은 $\dfrac{(①\phantom{세로})}{(가로)}$ 로 구합니다.

➡ 가: $\dfrac{②\phantom{4}}{6}$, 나: $\dfrac{8}{③}$

답 ❶세로 ❷4 ❸10

---

**3** 두 종류의 운동화가 있습니다. 원래 가격과 할인율이 다음과 같을 때 어느 것이 얼마나 더 쌉니까?

|  | 원래 가격 | 할인율 |
|---|---|---|
| 가 운동화 | 50000 | 15 % |
| 나 운동화 | 45000 | 10 % |

(        ), (        )

Tip

얼마만큼 할인하는지 구하려면 ❶▢ 가격에 ❷▢을 곱합니다.
원래 가격에서 할인하는 만큼의 가격을 빼면 할인된 가격을 구할 수 있습니다.

답 ❶ 원래 ❷ 할인율

---

**2** 영아는 사회 시간에 마을 지도를 그렸습니다. 우체국에서부터 도서관까지 실제 거리는 900 m인데 지도에는 7 cm로 그렸습니다. 우체국에서부터 도서관까지 실제 거리에 대한 지도에서 거리의 비율을 분수로 나타내시오.

(        )

Tip

900 m = ❶▢ cm

$\dfrac{(지도에서의 거리)}{(②\phantom{0} 거리)}$ 를 구합니다.

답 ❶ 90000 ❷ 실제

---

**4** 정근이가 야구부에 들어간 후의 안타 기록입니다. 정근이가 야구부에 들어간 후의 타율은 몇 %입니까?

|  | 전체 타수(타) | 안타 수(타) |
|---|---|---|
| 작년 | 320 | 110 |
| 올해 | 180 | 70 |

(        )

Tip

작년과 올해의 전체 타수: (❶▢ + ❷▢)타
작년과 올해의 안타 수: (❸▢ + ❹▢)타

➡ (타율)= $\dfrac{(안타 수)}{(전체 타수)}$ 를 구합니다.

답 ❶ 320 ❷ 180 ❸ 110 ❹ 70

**5** 우리나라 권역별 서점 수를 나타낸 그림그래프입니다. 대구 · 부산 · 울산 · 경상 권역은 대전 · 세종 · 충청 권역보다 몇 개 더 많습니까?

권역별 서점 수

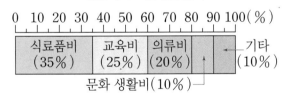

서울·인천·경기    강원

대전·세종·충청    대구·부산
                ·울산·경상
광주·전라

제주          ● 100개
            · 10개

(                    )

**6** 윤아네 집의 한 달 생활비의 쓰임새를 나타낸 띠그래프입니다. 한 달 문화 생활비가 20만 원이라면 한 달 생활비는 얼마입니까?

생활비의 쓰임새별 금액

0  10  20  30  40  50  60  70  80  90  100(%)

| 식료품비<br>(35%) | 교육비<br>(25%) | 의류비<br>(20%) | | 기타<br>(10%) |

문화 생활비(10%)

(                    )

**7** 도영이네 학교 학생 500명의 가족 수를 조사하여 나타낸 것입니다. 3인 가족인 학생의 55 %가 여학생일 때 3인 가족인 여학생은 몇 명입니까?

가족 수별 학생 수

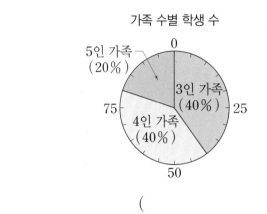

5인 가족
(20%)                    0

75          3인 가족    25
            (40%)
     4인 가족
     (40%)
              50

(                    )

**8** 200가구를 대상으로 조사하여 나타낸 띠그래프를 보고 막대그래프로 나타내시오.

구독하는 신문별 가구 수

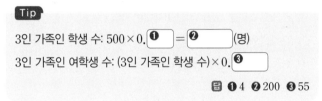

0  10  20  30  40  50  60  70  80  90  100(%)

| 가<br>(20%) | 나<br>(25%) | 다<br>(25%) | 라<br>(30%) |

구독하는 신문별 가구 수

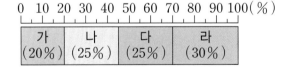

(가구)

50

0

가구
수    신문    가    나    다    라

# 2주 누구나 **만점 전략**

맞은 개수

개

**01** 다음 중 비가 <u>다른</u> 것은 어느 것입니까?
.................................( )

① 9에 대한 10의 비
② 10 대 9
③ 10과 9의 비
④ 9의 10에 대한 비
⑤ 10의 9에 대한 비

**02** 비율을 분수로 나타내시오.

(1) 6과 15의 비

( )

(2) 8에 대한 13의 비

( )

**03** 전체에 대한 색칠한 부분의 비율을 백분율로 나타내시오.

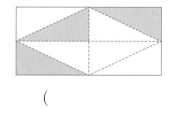

( )

**04** 서은이가 탄 고속버스는 160 km를 가는 데 2시간이 걸렸고, 서진이가 탄 승용차는 270 km를 가는 데 3시간이 걸렸습니다. 걸린 시간에 대한 간 거리의 비율을 구하고, 누가 탄 차가 더 빠른지 쓰시오.

서은 ( )
서진 ( )
더 빠른 차를 탄 사람 ( )

(간 거리)
(걸린 시간)

**05** 체험학습을 박물관으로 가는 것에 반대하는 학생 수를 조사했습니다. 각 반의 반대율을 백분율로 나타내어 보고, 반대율이 더 낮은 반은 몇 반인지 쓰시오.

| | 전체 학생 수(명) | 반대하는 학생 수(명) | 반대율(%) |
|---|---|---|---|
| 1반 | 25 | 7 | |
| 2반 | 24 | 6 | |

( )

**06** 과수원의 귤 생산량을 나타낸 그림그래프입니다. 가장 많은 귤을 생산한 과수원은 어디입니까?

과수원별 귤 생산량

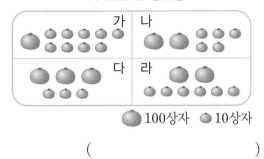

🍊100상자　🍊10상자

(　　　　　　)

**07** 연수가 먹은 과자 한 봉지의 영양소를 조사하여 나타낸 띠그래프입니다. 지방은 전체의 몇 %입니까?

과자 한 봉지의 영양소

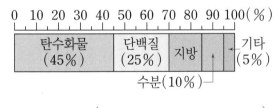

(　　　　　　)

**08** 희라네 반 친구들이 좋아하는 계절을 조사하였습니다. 표의 빈칸을 채우고 띠그래프로 나타내시오.

좋아하는 계절별 학생 수

|  | 봄 | 여름 | 가을 | 겨울 | 합계 |
|---|---|---|---|---|---|
| 학생 수(명) | 12 | 12 | 10 | 6 | 40 |
| 백분율(%) |  |  |  |  |  |

좋아하는 계절별 학생 수

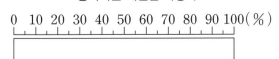

**09** 민선이네 반 학생들이 좋아하는 운동을 조사하여 나타낸 원그래프입니다. 축구를 좋아하는 학생 수는 야구를 좋아하는 학생 수의 약 몇 배입니까?

좋아하는 운동별 학생 수

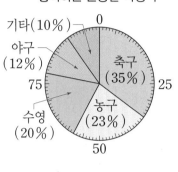

(　　　　　　)

**10** 어느 농장의 동물 수를 조사하여 나타낸 원그래프입니다. 전체 동물이 120마리라면 돼지는 몇 마리입니까?

동물별 마리 수

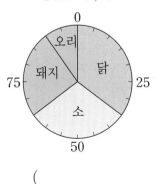

(　　　　　　)

창의 융합

**1** 가로가 25 cm, 세로가 20 cm인 액자의 가로에 대한 세로의 비율을 분수와 소수로 각각 나타내시오.

분수 (            ), 소수 (            )

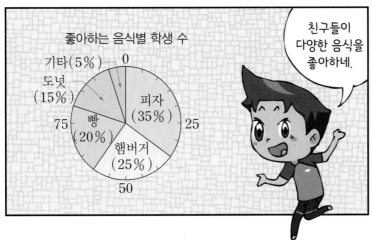

**2** 위 원그래프에서 가장 많은 친구가 좋아하는 음식은 무엇입니까?

(                    )

창의·융합·코딩 **전략②**

**추론**

**1** *축척이 $\frac{1}{300000}$인 지도에서 서울 월드컵 경기장에서 올림픽 공원까지의 거리는 7 cm입니다. 서울 월드컵 경기장에서 올림픽 공원까지의 실제 거리는 몇 km인지 구하시오.

*축척: 실제 거리를 지도 상에 줄여 나타낸 비율

축척이 $\frac{1}{100}$이면 지도 상 1 cm, 실제 거리 100 cm를 말합니다.

( )

**Tip**

지도에서의 거리 1 cm는 실제 거리가 【❶ ⬚ 】cm입니다.

지도에서의 거리 7 cm는 실제 거리가 【❷ ⬚ 】cm입니다.

[답] ❶ 300000 ❷ 2100000

**코딩**

**2** 다음을 보고 키 164 cm, 몸무게 60 kg인 현수가 비만인지, 비만이 아닌지 판단하시오.

> • 표준 몸무게(kg): (키(cm)−100)×0.9
> • 비만 몸무게(kg): 표준 몸무게의 120 % 이상

( )

**Tip**

현수의 표준 몸무게(kg): (【❶ ⬚ 】−100)×0.9

비만 몸무게(kg): (표준 몸무게×【❷ ⬚ 】) 이상

[답] ❶ 164 ❷ 1.2

**3** 부산광역시, 대전광역시의 넓이와 인구를 보고 인구가 더 밀집한 곳을 쓰시오.

넓이: 약 770 km²
인구: 약 340만 명

넓이: 약 540 km²
인구: 약 146만 명

넓이에 대한 인구의 비율이 높을수록 더 밀집한 곳입니다.

(                    )

**Tip**

도시별로 넓이에 대한 인구의 비율을 어림합니다.

부산광역시: $\dfrac{340만}{❶}$ , 대전광역시: $\dfrac{❷}{540}$

[답] ❶ 770  ❷ 146만

**4** ○○ 은행의 연 이자율은 2 %입니다. ○○ 은행에 100만 원을 예금하면 1년 후에 모두 얼마를 찾을 수 있는지 구하시오.

(                    )

**Tip**

1년 후에 받는 이자는 (예금한 돈)×(이자율)이므로 (❶          ×0.❷          )원입니다.

1년 후에 찾을 수 있는 돈은 (예금한 돈)+(이자로 받는 금액)입니다.

[답] ❶ 100만  ❷ 02

창의 융합

**5** 어느 해 우리나라 인구를 조사하여 나타낸 원그래프입니다. 우리나라 인구가 4800만 명이라면 대전광역시의 인구는 몇 명인지 구하시오.

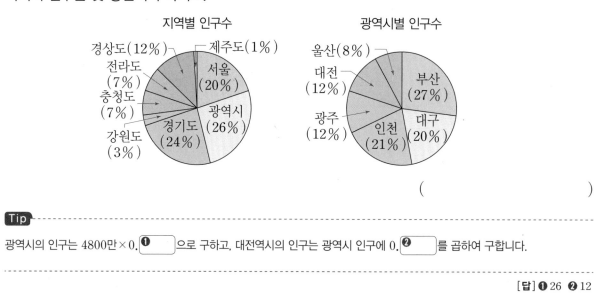

지역별 인구수

경상도(12%) ─ 제주도(1%)
전라도(7%)
충청도(7%)
강원도(3%)
경기도(24%)
서울(20%)
광역시(26%)

광역시별 인구수

울산(8%)
대전(12%)
광주(12%)
인천(21%)
부산(27%)
대구(20%)

(                                      )

**Tip**

광역시의 인구는 4800만×0.❶ [        ]으로 구하고, 대전역시의 인구는 광역시 인구에 0.❷ [        ]를 곱하여 구합니다.

[답] ❶ 26  ❷ 12

창의 융합

**6** 연령대별 남녀 고용률을 조사하여 나타낸 그래프입니다. ☐ 안에 알맞게 써넣으시오.

연령대별 남녀 고용률

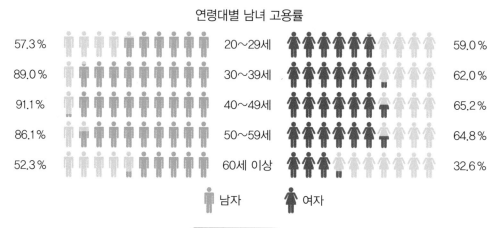

| 57.3% | 20~29세 | 59.0% |
| 89.0% | 30~39세 | 62.0% |
| 91.1% | 40~49세 | 65.2% |
| 86.1% | 50~59세 | 64.8% |
| 52.3% | 60세 이상 | 32.6% |

👨 남자    👩 여자

(1) 고용률이 가장 높은 남자 연령대는 [          ]세입니다.

(2) 고용률이 두 번째로 낮은 여자 연령대는 [          ]세입니다.

**Tip**

(1) 남자 고용률을 나타내는 그림에서 색칠한 그림이 가장 ❶ [        ] 연령대를 찾습니다.

(2) 여자 고용률을 나타내는 그림에서 색칠한 그림이 두 번째로 ❷ [        ] 연령대를 찾습니다.

[답] ❶ 많은  ❷ 적은

**창의** **융합**

**7** 달걀 한 개에 들어 있는 영양소의 양을 나타낸 원그래프입니다. 수분은 지방의 몇 배인지 반올림하여 소수 첫째 자리까지 나타내시오.

달걀 한 개의 영양 성분량

기타 (2%)
지방 (11%)
단백질 (12%)
수분 (75%)

수분의 양을 지방의 양으로 나눕니다.

(                    )

**Tip**

수분의 비율: **❶** [    ] %, 지방의 비율: **❷** [    ] %

[답] **❶** 75  **❷** 11

**추론**

**8** 경훈이네 집에서 7월 한 달 동안 사용한 전력 사용량을 나타낸 띠그래프입니다. 두 번째로 전력 사용량이 많은 것은 무엇이고 몇 %입니까?

전력 사용량

| 0 | 10 | 20 | 30 | 40 | 50 | 60 | 70 | 80 | 90 | 100(%) |

| 에어컨 | 냉장고 | 컴퓨터 | TV | 기타 |

(                    ), (                    )

**Tip**

띠의 길이가 가장 긴 것은 에 **❶** [    ] 이고, 두 번째로 긴 것이 두 번째로 전력 사용량이 많은 것입니다.

작은 눈금 한 칸이 **❷** [    ] %임을 알고 두 번째로 많은 것은 몇 %인지 알아봅니다.

[답] **❶** 어컨  **❷** 1

# 각기둥과 각뿔, 직육면체의 부피와 겉넓이

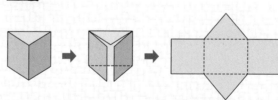

❶ 각기둥, 각기둥의 구성 요소 알아보기
❷ 각뿔, 각뿔의 구성 요소 알아보기
❸ 각기둥의 전개도 알아보고 그리기

❹ 부피의 단위 1 cm³, 1 m³ 알아보기
❺ 직육면체와 정육면체의 부피 구하기
❻ 직육면체와 정육면체의 겉넓이 구하기

직접 만든 사각 사탕을 담아서 드리려고~

일 세제곱센티미터 크기의 사탕들이구나.

뭐라고?

넌 항상 알아듣기 힘든 말만 하는구나.

정육면체의 부피를 1 cm³라 쓰고, 1 세제곱센티미터라고 읽어.

윽~ 사탕이 짜!

설탕이 아니라 소금을 넣었나 봐!

사탕 하나 먹어 봐도 돼?

물론이야.

# 개념 1  각기둥 알아보기

● 각기둥: 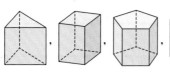 등과 같은 입체도형

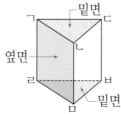
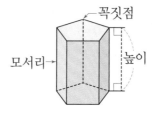

각기둥은 밑면의 모양에 따라 삼각기둥, 사각기둥, 오각기둥……이라고 합니다.

왼쪽 각기둥에서
• 면 ㄱㄴㄷ과 면 ㄹㅁㅂ과 같이 서로 평행하고 합동인 두 면을 ❶ㅁ면이 라고 합니다.
• 면 ㄱㄹㅁㄴ, 면 ㄴㅁㅂㄷ, 면 ㄷㅂㄹㄱ 과 같이 두 밑면과 만나는 면을 ❷ㅁ면이라고 합니다.
각기둥의 옆면은 모두 직사각형입니다.

답  ❶ 밑  ❷ 옆

# 개념 2  각뿔 알아보기

● 각뿔: 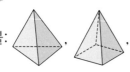 등과 같은 입체도형

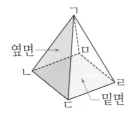
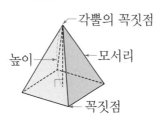

각뿔의 밑면의 모양에 따라 삼각뿔, 사각뿔, 오각뿔……이라고 합니다.

왼쪽 각뿔에서
• 면 ㄴㄷㄹㅁ과 같이 바닥에 놓인 면 을 ❶ㅁ이라고 합니다.
• 면 ㄱㄴㄷ, 면 ㄱㄷㄹ, 면 ㄱㄹㅁ, 면 ㄱㅁㄴ과 같이 밑면과 만나는 면을 ❷ㅁ이라고 합니다.
각뿔의 옆면은 모두 삼각형입니다.

답  ❶ 밑면  ❷ 옆면

# 개념 3  각기둥의 전개도

● **각기둥의 전개도**: 각기둥의 모서리를 잘라서 평면 위에 펼쳐 놓은 그림

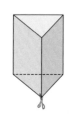 ➡ 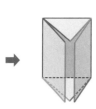 ➡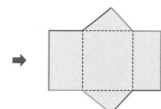

각기둥의 모❶ㅁ를 잘라서 평면 위에 펼쳐 놓은 그림을 각기둥의 ❷ㅁ라고 합니다.

답  ❶ 서리  ❷ 전개도

**1-1** 서로 평행하고 합동인 두 다각형이 있는 입체도형을 찾아 기호를 쓰시오.

가   나   다

( )

• **풀이** • 가는 입체도형이 아니고, 다는 서로 평행한 두 사각형이 있지만

합 **❶** 이 아닙니다.

따라서 서로 평행하고 합동인 두 다각형이 있는 것은 **❷** 입니다.

**답 ❶** 동 **❷** 나

**1-2** 각기둥을 찾아 기호를 쓰시오.

가   나

다   라

( )

**2-1** 밑면이 다각형이고 옆면이 삼각형인 입체도형을 찾아 기호를 쓰시오.

가   나   다

( )

• **풀이** • 나와 다는 옆면이 **❶** 각형이 아닙니다. 밑면과 옆면이 **❷** 각형

인 도형이 답입니다.

**답 ❶** 삼 **❷** 삼

**2-2** 각뿔을 찾아 기호를 쓰시오.

가   나

다   라

( )

**3-1** 다음 전개도를 접으면 어떤 도형이 됩니까?

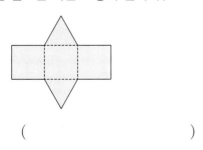

( )

• **풀이** • 두 밑면의 모양이 **❶** 각형이므로 **❷** 기둥이 됩니다.

**답 ❶** 삼 **❷** 삼각

**3-2** 다음 전개도를 접으면 어떤 도형이 됩니까?

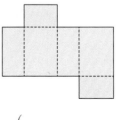

( )

## 개념 **4** 부피의 단위

[ 관련 단원 ] 직육면체의 부피와 겉넓이

- **1 cm³ 알아보기**

  한 모서리의 길이가 1 cm인 정육면체의 부피

  **1 cm³**

  쓰기 1 cm³

  읽기 1(일) 세제곱센티미터

- **1 m³ 알아보기**

  한 모서리의 길이가 1 m인 정육면체의 부피

  **1 m³**   쓰기 1 m³   읽기 1(일) 세제곱미터

한 모서리의 길이가 1 m인 정육면체의
부피를 1 **❶** 라 쓰고,
1(일) **❷** 라고 읽습니다.

답 **❶** m³ **❷** 세제곱미터

---

## 개념 **5** 직육면체의 부피 구하기

[ 관련 단원 ] 직육면체의 부피와 겉넓이

- **직육면체의 부피 구하기**

  높이
  가로   세로

  (직육면체의 부피)
  ＝(가로)×(세로)×(높이)
  ＝(밑면의 넓이)×(높이)

- **정육면체의 부피 구하기**

  (정육면체의 부피)
  ＝(한 모서리의 길이)
    ×(한 모서리의 길이)
    ×(한 모서리의 길이)

(직육면체의 부피)
＝(가로)×( **❶** )×( **❷** )
＝( **❸** 의 넓이)×(높이)

답 **❶** 세로 **❷** 높이 **❸** 밑면

---

## 개념 **6** 직육면체의 겉넓이 구하기

[ 관련 단원 ] 직육면체의 부피와 겉넓이

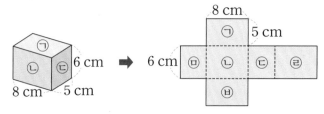

(한 밑면의 넓이)×2＋(옆면의 넓이)＝㉠×2＋(㉤, ㉡, ㉢, ㉣)
＝40×2＋26×6＝236 (cm²)

- 직육면체의 겉넓이는 두 **❶** 면의
  넓이와 **❷** 면의 넓이의 합으로 구
  할 수 있습니다.

답 **❶** 밑 **❷** 옆

**4-1** ☐ 안에 알맞은 수를 써넣으시오.

(1) $1 \text{ m}^3 = \boxed{\phantom{XXXXX}} \text{ cm}^3$

(2) $1000000 \text{ cm}^3 = \boxed{\phantom{X}} \text{ m}^3$

• **풀이** • 1 m는 $\boxed{❶ \phantom{XX}}$ cm이므로 $1 \times 1 \times 1 = 1 \text{ (m}^3)$는
$100 \times 100 \times 100 = \boxed{❷ \phantom{XXX}}$ $(\text{cm}^3)$입니다.

답 ❶ 100 ❷ 1000000

**4-2** ☐ 안에 알맞은 수를 써넣으시오.

(1) $2 \text{ m}^3 = \boxed{\phantom{XXXXX}} \text{ cm}^3$

(2) $3000000 \text{ cm}^3 = \boxed{\phantom{X}} \text{ m}^3$

**5-1** 부피가 $1 \text{ cm}^3$인 정육면체 모양의 쌓기나무로 오른쪽과 같이 쌓아 직육면체를 만들었습니다. 빈칸에 알맞은 수를 써넣으시오.

| 가로(cm) | 세로(cm) | 높이(cm) | 부피(cm³) |
|---|---|---|---|
| | | | |

• **풀이** • $1 \text{ cm}^3$인 쌓기나무가 $2 \times 2 \times \boxed{❶ \phantom{X}} = \boxed{❷ \phantom{X}}$ (개)이므로 $8 \text{ cm}^3$입니다.

답 ❶ 2 ❷ 8

**5-2** 부피가 $1 \text{ cm}^3$인 정육면체 모양의 쌓기나무로 다음과 같이 쌓아 직육면체를 만들었습니다. 빈칸에 알맞은 수를 써넣으시오.

| 가로(cm) | 세로(cm) | 높이(cm) | 부피(cm³) |
|---|---|---|---|
| | | | |

**6-1** 오른쪽 직육면체의 겉넓이를 합동인 세 면의 넓이의 합을 2배 하여 구하시오.

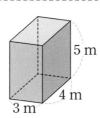

$(3 \times 4 + 3 \times 5 + \boxed{\phantom{X}} \times \boxed{\phantom{X}}) \times \boxed{\phantom{X}}$

$= \boxed{\phantom{X}} \ (\text{m}^2)$

• **풀이** • 합동인 면이 $\boxed{❶ \phantom{X}}$ 쌍이므로 세 면의 넓이의 합을 구한 뒤 $\boxed{❷ \phantom{X}}$ 배 합니다.

답 ❶ 3 ❷ 2

**6-2** 직육면체의 겉넓이를 합동인 세 면의 넓이를 각각 2배 한 뒤 더하여 구하시오.

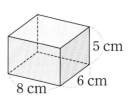

$(8 \times 6) \times 2 + (6 \times 5) \times 2 + (\boxed{\phantom{X}} \times \boxed{\phantom{X}}) \times \boxed{\phantom{X}}$

$= \boxed{\phantom{X}} \ (\text{cm}^2)$

**예제 1** 각기둥의 밑면과 옆면

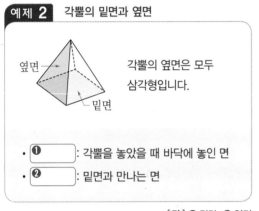

- 두 밑면은 나머지 면들과 모두 수직으로 만납니다.
- 옆면은 모두 직사각형입니다.

- **❶** : 서로 평행하고 합동인 두 면
- **❷** : 두 밑면과 만나는 면

[답] ❶ 밑면 ❷ 옆면

**1** 오른쪽 각기둥을 보고 물음에 답하시오.

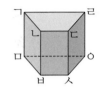

(1) 서로 평행하고 합동인 두 면을 찾아 쓰시오.

( )

(2) 밑면에 수직인 면을 모두 찾아 쓰시오.

( )

**예제 2** 각뿔의 밑면과 옆면

옆면 → 밑면

각뿔의 옆면은 모두 삼각형입니다.

- **❶** : 각뿔을 놓았을 때 바닥에 놓인 면
- **❷** : 밑면과 만나는 면

[답] ❶ 밑면 ❷ 옆면

**2** 오른쪽 각뿔을 보고 물음에 답하시오.

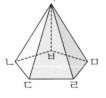

(1) 밑면을 찾아 쓰시오.

( )

(2) 밑면과 만나는 면은 몇 개입니까?

( )

**예제 3** 각뿔의 구성 요소

각뿔의 꼭짓점

높이

- 각뿔의 **❶** : 옆면이 모두 만나는 점
- **❷** : 각뿔의 꼭짓점에서 밑면에 수직인 선분의 길이

[답] ❶ 꼭짓점 ❷ 높이

**3** 다음 각뿔에서 높이는 몇 cm입니까?

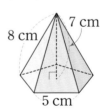

8 cm  7 cm  5 cm

높이와 모서리를 구별하세요.

( )

**예제 4** 직육면체의 부피 비교하기

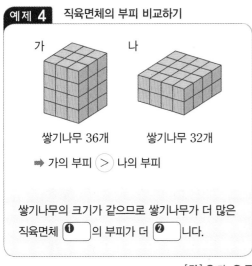

가          나

쌀기나무 36개     쌀기나무 32개

➡ 가의 부피 ⟨>⟩ 나의 부피

쌀기나무의 크기가 같으므로 쌀기나무가 더 많은
직육면체 **❶** 의 부피가 더 **❷** 니다.

[답] ❶ 가 ❷ 큼

**4** 부피가 가장 큰 직육면체에 ○표 하시오.

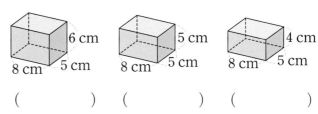

(      )   (      )   (      )

---

**예제 5** 직육면체의 부피 구하기

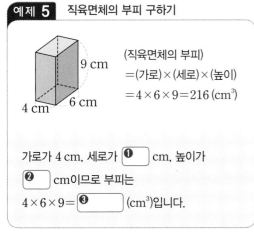

(직육면체의 부피)
=(가로)×(세로)×(높이)
=4×6×9=216 (cm³)

가로가 4 cm, 세로가 **❶** cm, 높이가
**❷** cm이므로 부피는
4×6×9= **❸** (cm³)입니다.

[답] ❶ 6 ❷ 9 ❸ 216

**5** 직육면체의 부피는 몇 m³입니까?

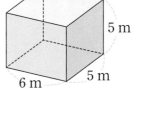

식 _____

답 _____

---

**예제 6** 정육면체의 겉넓이 구하기

(정육면체의 겉넓이)
=(한 모서리의 길이)×(한 모서리의 길이)×6
=9×9×6=486 (cm²)

정육면체는 여섯 면의 넓이가 모두 같으므로
(겉넓이)=(한 면의 **❶** )× **❷** 입니다.

[답] ❶ 넓이 ❷ 6

**6** 정육면체의 겉넓이는 몇 cm²입니까?

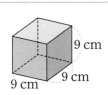

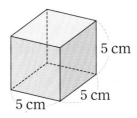

식 _____

답 _____

전략 1  각기둥, 각뿔의 이름 쓰기     [관련 단원] 각기둥과 각뿔

예 밑면의 모양이 다음과 같은 각기둥의 이름을 쓰기

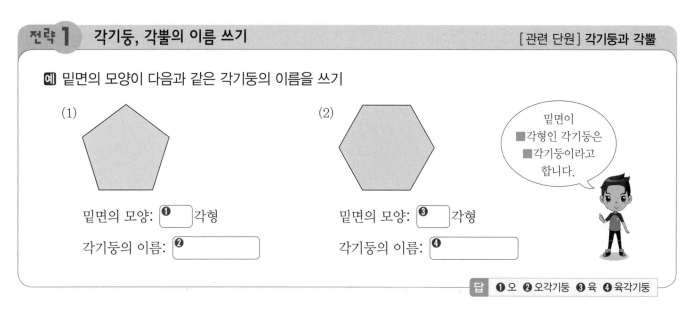

(1)

밑면의 모양: ❶[   ]각형

각기둥의 이름: ❷[          ]

(2)

밑면의 모양: ❸[   ]각형

각기둥의 이름: ❹[          ]

밑면이
■각형인 각기둥은
■각기둥이라고
합니다.

답  ❶오 ❷오각기둥 ❸육 ❹육각기둥

**필수예제 01**

밑면의 모양이 다음과 같은 각뿔의 이름을 쓰시오.

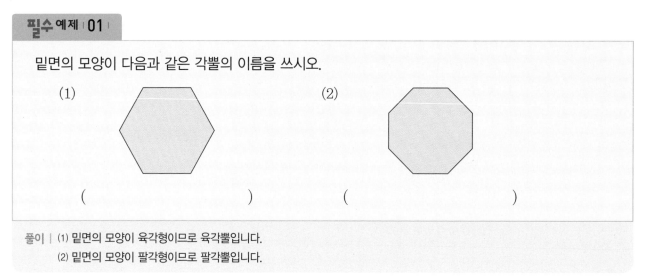

(1)

(          )

(2)

(          )

풀이 | (1) 밑면의 모양이 육각형이므로 육각뿔입니다.
　　　(2) 밑면의 모양이 팔각형이므로 팔각뿔입니다.

**확인 1-1**

밑면의 모양이 십각형인 각기둥의 이름은 무엇입니까?

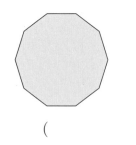

(          )

**확인 1-2**

밑면의 모양이 구각형인 각뿔의 이름은 무엇입니까?

(          )

## 전략 ❷ 구성 요소의 수 구하기

[관련 단원] 각기둥과 각뿔

**예** 각기둥에서 꼭짓점, 면, 모서리의 수 구하기

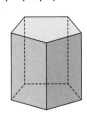

각기둥의 밑면의 변의 수를 먼저 알아봅니다.

(1) 한 밑면의 변의 수 구하기: 오각기둥이므로 한 밑면의 변의 수는 ❶[    ]개입니다.

(2) 꼭짓점의 수: (한 밑면의 변의 수)×❷[    ]이므로 5×2=❸[    ](개)

(3) 면의 수: (한 밑면의 변의 수)+2이므로 5+2=❹[    ](개)

(4) 모서리의 수: (한 밑면의 변의 수)×3이므로 5×3=❺[    ](개)

답 ❶ 5 ❷ 2 ❸ 10 ❹ 7 ❺ 15

### 필수 예제 02

다음 각뿔에서 꼭짓점, 면, 모서리는 각각 몇 개입니까?

꼭짓점 (                    )
면 (                    )
모서리 (                    )

**풀이 |** 육각뿔이므로 밑면의 변의 수가 6개입니다.

꼭짓점의 수: (밑면의 변의 수)+1=6+1=7(개)

면의 수: (밑면의 변의 수)+1=6+1=7(개)

모서리의 수: (밑면의 변의 수)×2=6×2=12(개)

## 확인 2-1

구각기둥의 꼭짓점, 면, 모서리는 각각 몇 개입니까?

꼭짓점 (                )
면 (                )
모서리 (                )

## 확인 2-2

칠각뿔의 꼭짓점, 면, 모서리는 각각 몇 개입니까?

꼭짓점 (                )
면 (                )
모서리 (                )

## 전략 3 부피 비교하기

[관련 단원] 직육면체의 부피와 겉넓이

**예** 크기가 같은 쌓기나무를 사용하여 두 직육면체의 부피를 비교하고 부피가 더 큰 것 찾기

 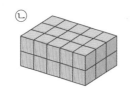

(1) ㉠, ㉡의 쌓기나무 수 구하기:

㉠ 9개씩(가로 3개 × 세로 3개) 3층 ➡ ❶ [　　] 개

㉡ 15개씩(가로 5개 × 세로 3개) 2층 ➡ ❷ [　　] 개

(2) 부피가 더 큰 것 찾기:

27 ❸○ 30이므로 부피가 더 큰 것은 ❹ [　　] 입니다.

답 ❶ 27 ❷ 30 ❸ < ❹ ㉡

### 필수예제 03

상자 가와 나에 크기가 같은 과자 상자를 담아 부피를 비교하려고 합니다. 상자 가와 나 중에서 부피가 더 큰 상자는 어느 것입니까?

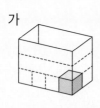 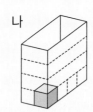

상자 가에 담을 수 있는 과자 상자: [　　] 개

상자 나에 담을 수 있는 과자 상자: [　　] 개

부피가 더 큰 상자 ➡ ( 가 , 나 )

**풀이 |** 상자 가에는 과자 상자를 8개씩(가로 4개 × 세로 2개) 3층으로 담을 수 있으므로 24개를 담을 수 있고,
상자 나에는 과자 상자를 8개씩(가로 2개 × 세로 4개) 4층으로 담을 수 있으므로 32개를 담을 수 있습니다.
따라서 부피가 더 큰 상자는 나입니다.

## 확인 3-1

크기가 같은 쌓기나무를 사용하여 세 직육면체의 부피를 비교하려고 합니다. 부피가 큰 순서대로 기호를 쓰시오.

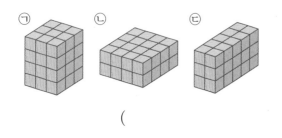

( 　　　　　　 )

## 확인 3-2

세 상자에 크기가 같은 벽돌을 담아 부피를 비교하려고 합니다. 부피가 작은 상자의 순서대로 기호를 쓰시오.

  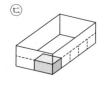

( 　　　　　　 )

**전략 4** | **부피를 알 때 모서리의 길이 구하기**  [관련 단원] 직육면체의 부피와 겉넓이

**예** 다음 직육면체의 부피가 1440 cm³일 때 ▲의 값 구하기

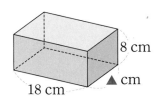

직육면체의 밑면의 넓이에 높이를 곱하면 부피가 됩니다.

(1) 부피를 구하는 식 써 보기: (직육면체의 부피)=(가로)×(세로)×(높이)=18×▲× ❶□

(2) ▲의 값 구하기: 18×▲×8= ❷□ 이므로 ▲=1440÷144= ❸□ 입니다.

**답** ❶8 ❷1440 ❸10

**필수예제 04**

다음 직육면체의 □ 안에 알맞은 수를 써넣으시오.

(1) 부피: 800 cm³

(2) 부피: 1100 cm³

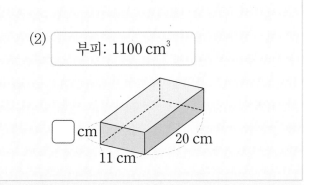

**풀이** | (직육면체의 부피)=(가로)×(세로)×(높이)
(1) 10×□×8=800이므로 □=800÷80=10입니다.
(2) 11×20×□=1100이므로 □=1100÷220=5입니다.

**확인 4-1**

오른쪽 직육면체의 부피가 324 m³일 때 □ 안에 알맞은 수를 써넣으시오.

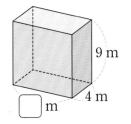

**확인 4-2**

오른쪽 정육면체의 부피가 216 cm³일 때 □ 안에 알맞은 수를 써넣으시오.

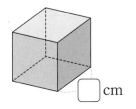

## 3주 02일 필수 체크 전략 ❷

[ 관련 단원 ] 각기둥과 각뿔

**1** 다음 각기둥의 <sup>❶</sup>밑면의 수와 <sup>❷</sup>옆면의 수의 차를 구하시오.

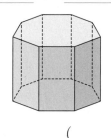

(                    )

**Tip**

❶ 모든 각기둥의 밑면은 ❶◻개입니다.

❷ 팔각기둥의 옆면은 ❷◻개입니다.

답 ❶ 2 ❷ 8

[ 관련 단원 ] 각기둥과 각뿔

**2** 다음 각기둥에서 밑면이 정오각형일 때 모든 모서리의 길이의 합은 몇 cm입니까?

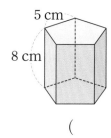

5 cm

8 cm

(                    )

**Tip**

· 길이가 5 cm인 모서리가 ❶◻개, 8 cm인
모서리가 ❷◻개입니다.

답 ❶ 10 ❷ 5

정오각형은
5개의 변의 길이가
모두 같아요.

[ 관련 단원 ] 각기둥과 각뿔

**3** 모서리가 20개인 각뿔의 이름을 쓰시오.

(                    )

**Tip**

· 각뿔의 모서리의 수는
(밑면의 변의 수)× ❶◻입니다.

· 밑면의 변의 수가 10이면 ❷◻각뿔입니다.

답 ❶ 2 ❷ 십

▶정답 및 풀이 20쪽

[관련 단원] **직육면체의 부피와 겉넓이**

**4** 직접 맞대어 부피를 비교할 수 있는 상자끼리 짝 지어 보시오.

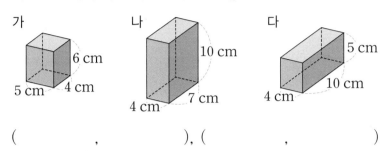

가       나       다

(        ,        ), (        ,        )

[관련 단원] **직육면체의 부피와 겉넓이**

**5** 두 직육면체의 부피가 같습니다. ☐ 안에 알맞은 수를 써넣으시오.

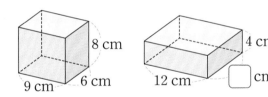

[관련 단원] **직육면체의 부피와 겉넓이**

**6** 작은 정육면체 여러 개를 오른쪽과 같이 쌓았습니다.
**❶**쌓은 정육면체의 부피가 216 cm³일 때 **❷**작은 정육면체의 한 모서리의 길이는 몇 cm입니까?

(            )

## 전략 1  각기둥의 전개도를 접었을 때 맞닿는 선분 찾기

[관련 단원] 각기둥과 각뿔

**예** 전개도를 접었을 때 선분 ㄴㄷ과 맞닿는 선분을 찾기

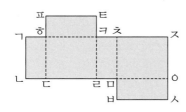

(1) 만나는 점 찾기: 전개도를 접었을 때 점 ㄴ과 점 **❶** 이 만나고, 점 ㄷ과 점 **❷** 이 만납니다.

(2) 맞닿는 선분 찾기: 선분 ㄴㄷ과 맞닿는 선분은 선분 **❸** 입니다.

답 ❶ ㅇ ❷ ㅅ ❸ ㅇㅅ

### 필수 예제 | 01 |

전개도를 접었을 때 선분 ㄱㄴ과 맞닿는 선분을 찾아 ○표 하시오.

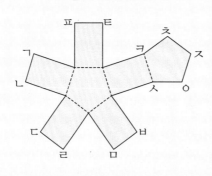

> 면 ㅋㅅㅇㅈㅊ의 어느 부분과 맞닿는지 찾아보세요.

**풀이** | 전개도를 접었을 때 선분 ㅍㅌ과 선분 ㅊㅋ, 선분 ㄱㄴ과 선분 ㅊㅈ, 선분 ㄷㄹ과 선분 ㅈㅇ, 선분 ㅁㅂ과 선분 ㅇㅅ이 맞닿습니다. 따라서 선분 ㄱㄴ과 맞닿는 선분은 선분 ㅊㅈ입니다.

## 확인 1-1

삼각기둥의 전개도를 접었을 때 선분 ㄱㄴ과 맞닿는 선분을 찾아 쓰고, 그 길이를 구하시오.

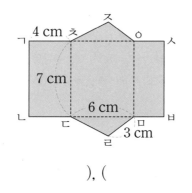

(                    ), (                    )

## 확인 1-2

사각기둥의 전개도를 접었을 때 선분 ㄱㅎ과 맞닿는 선분을 찾아 쓰고, 그 길이를 구하시오.

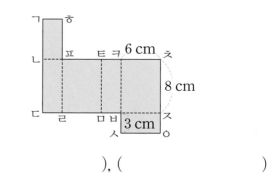

(                    ), (                    )

**전략 2** 각기둥, 각뿔이 아닌 이유 쓰기　　　　　　　　[관련 단원] 각기둥과 각뿔

**예** 다음 입체도형이 각기둥이 아닌 이유 쓰기

> 각기둥은 서로 평행하고 합동인 두 다각형이 있습니다.

(1) 서로 평 **❶**  한 두 도형이 있습니다.

(2) 서로 평행한 두 도형은 합 **❷**  입니다.

(3) 서로 평행하고 합동인 두 도형은 **❸**  각형이 아닙니다.

(4) 이유: 서로 평행하고 합동인 두 도형이 있지만 **❹**  이 아니므로 각기둥이 아닙니다.

**답** ❶ 행 ❷ 동 ❸ 다 ❹ 다각형

**필수예제 02**

다음 입체도형이 각뿔이 아닌 이유를 쓰시오.

(1) 밑면이 다각형이 ( 맞습니다 , 아닙니다 ).

(2) 옆면이 삼각형이 ( 맞습니다 , 아닙니다 ).

(3) 이유: 밑면이 [          ]이 아니고, 옆면이 [          ]이 아니므로 각뿔이 아닙니다.

풀이 | 각뿔은 밑면이 다각형이고 옆면이 삼각형인 입체도형인데 위 입체도형은 밑면이 원이고 옆면도 삼각형이 아니므로 각뿔이 아닙니다.

**확인 2-1**

다음 입체도형이 각기둥이 아닌 이유를 쓰시오.

이유

**확인 2-2**

다음 입체도형이 각뿔이 아닌 이유를 쓰시오.

이유

---

전략 3  cm³와 m³로 나타낸 부피 비교하기  [관련 단원] 직육면체의 부피와 겉넓이

예 부피가 큰 순서대로 기호 쓰기

| ㉠ 3.5 m³ | ㉡ 35000000 cm³ | ㉢ 350 m³ | ㉣ 350000 cm³ |

(1) 모두 m³ 단위로 바꾸기:

㉠ 3.5 m³  ㉡ 35000000 cm³ = [ ❶ ] m³  ㉢ 350 m³  ㉣ 350000 cm³ = [ ❷ ] m³

(2) 비교하기: 350 > 35 > 3.5 > 0.35이므로 큰 순서대로 기호를 쓰면 [ ❸ ]입니다.

답  ❶ 35  ❷ 0.35  ❸ ㉢, ㉡, ㉠, ㉣

---

**필수 예제 03**

☐ 안에 알맞은 수를 써넣고, 부피가 작은 순서대로 기호를 쓰시오.

| ㉠ 1.01 m³ | ㉡ 101000000 cm³ | ㉢ 10.1 m³ | ㉣ 1001000 cm³ |

㉡ 101000000 cm³ = [ ] m³          ㉣ 1001000 cm³ = [ ] m³

(                                              )

풀이 | 1000000 cm³ = 1 m³이므로 101000000 cm³ = 101 m³, 1001000 cm³ = 1.001 m³입니다.
1.001 < 1.01 < 10.1 < 101이므로 ㉣, ㉠, ㉢, ㉡이라고 씁니다.

---

## 확인 3-1

부피가 큰 순서대로 기호를 쓰시오.

㉠ 80 m³
㉡ 80000 cm³
㉢ 한 모서리의 길이가 200 cm인 정육면체의 부피
㉣ 가로가 100 cm, 세로가 0.2 m, 높이가 4 m 인 직육면체의 부피

(                                  )

## 확인 3-2

부피가 작은 순서대로 기호를 쓰시오.

㉠ 100 m³
㉡ 100000 cm³
㉢ 한 모서리의 길이가 100 cm인 정육면체의 부피
㉣ 가로가 2 m, 세로가 50 cm, 높이가 10 m인 직육면체의 부피

(                                  )

▶정답 및 풀이 21쪽

## 전략 **4**  직육면체의 겉넓이 구하여 비교하기    [관련 단원] 직육면체의 부피와 겉넓이

**예** 두 직육면체의 겉넓이를 각각 구하고, 크기를 비교하여 ◯ 안에 >, =, <를 알맞게 써넣기

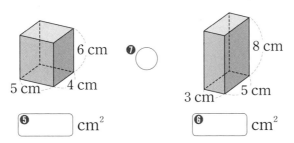

❼ ◯

❺ ☐ cm²    ❻ ☐ cm²

(1) 두 직육면체의 겉넓이 각각 구하기: (한 밑면의 넓이)×2+(옆면의 넓이)로 구하면

왼쪽 직육면체의 겉넓이: 5×4×❶☐ +(5+4+5+4)×6=❷☐ (cm²)

오른쪽 직육면체의 겉넓이: 3×5×2+(3+5+3+5)×❸☐ =❹☐ (cm²)

(2) 겉넓이를 비교하여 ◯ 안에 >, =, < 쓰기

답  ❶2 ❷148 ❸8 ❹158 ❺148 ❻158 ❼<

### 필수 예제 | 04 |

두 직육면체의 겉넓이를 각각 구하고, 크기를 비교하여 ◯ 안에 >, =, <를 알맞게 써넣으시오.

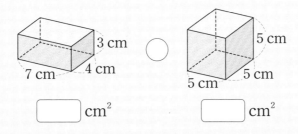

☐ cm²    ☐ cm²

풀이 | 왼쪽 직육면체의 겉넓이: 7×4×2+(7+4+7+4)×3=122 (cm²), 오른쪽 정육면체의 겉넓이: 5×5×6=150 (cm²)

➡ 122<150

## 확인 **4**-1

두 직육면체의 겉넓이를 각각 구하고, 크기를 비교하여 ◯ 안에 >, =, <를 알맞게 써넣으시오.

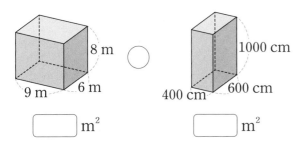

☐ m²    ☐ m²

## 확인 **4**-2

두 직육면체의 겉넓이를 각각 구하고, 크기를 비교하여 ◯ 안에 >, =, <를 알맞게 써넣으시오.

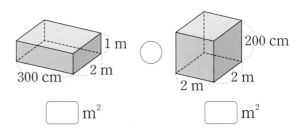

☐ m²    ☐ m²

# 3주 03일 필수 체크 전략 ❷

[관련 단원] 각기둥과 각뿔

**1** 오른쪽 전개도를 접었을 때 만들어지는 ❷각기둥의 꼭짓점은 몇 개입니까?

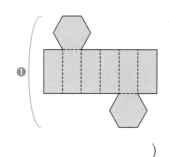

( )

[관련 단원] 각기둥과 각뿔

**2** 밑면이 오른쪽 그림과 같고, 높이가 3 cm인 삼각기둥의 전개도를 그려 보시오.

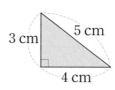

3 cm   5 cm
4 cm

1 cm
1 cm

[관련 단원] 각기둥과 각뿔

**3** 다음 조건은 오른쪽 전개도를 접었을 때 만들어지는 각기둥을 설명한 것입니다. 각기둥의 밑면의 한 변은 몇 cm입니까?

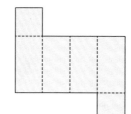

조건
• 각기둥의 옆면은 모두 합동입니다.
• 각기둥의 높이는 6 cm입니다.
• 각기둥의 모든 모서리의 길이의 합은 48 cm입니다.

( )

▶정답 및 풀이 22쪽

**4** [관련 단원] **직육면체의 부피와 겉넓이**

가로가 3 m, 세로가 1 m, 높이가 2 m인 직육면체 모양의 창고가 있습니다. 이 창고에 한 모서리의 길이가 50 cm인 정육면체 모양의 상자를 빈틈없이 쌓으려고 합니다. 정육면체 모양의 상자를 몇 개까지 쌓을 수 있습니까?

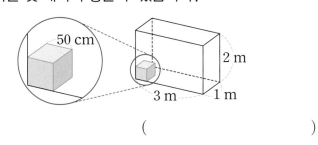

(                   )

**5** [관련 단원] **직육면체의 부피와 겉넓이**

직육면체의 전개도입니다. 겉넓이가 188 cm²일 때 ☐ 안에 알맞은 수를 써넣으시오.

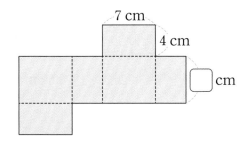

**6** [관련 단원] **직육면체의 부피와 겉넓이**

오른쪽 **❶**정육면체의 겉넓이는 600 cm²입니다. 이 **❷**정육면체의 부피는 몇 cm³입니까?

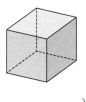

(                   )

**대표 예제 | 01 |**

각기둥의 겨냥도를 완성해 보시오.

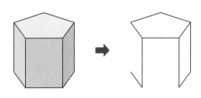

**개념가이드**

보이는 모서리 2개는 실선으로 나타내고, 보이지 않는 모서리 **①** 개는 **②** 선으로 나타냅니다.

[답] **①** 3 **②** 점

**대표 예제 | 03 |**

밑면의 모양이 오른쪽과 같은 각기둥의 이름과 면, 모서리, 꼭짓점의 수를 쓰시오.

| 각기둥의 이름 | 면의 수(개) | 모서리의 수(개) | 꼭짓점의 수(개) |
|---|---|---|---|
| | | | |

**개념가이드**

밑면의 모양이 팔각형인 각기둥은 **①** 기둥입니다.

이 도형의 한 밑면의 변의 수는 **②** 개입니다.

[답] **①** 팔각 **②** 8

**대표 예제 | 02 |**

전개도를 접었을 때 면 ㄱㄴㅍㅎ과 만나는 면을 모두 찾아 쓰시오.

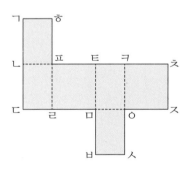

( )

**개념가이드**

전개도를 접었을 때 면 ㄱㄴㅍㅎ과 만나는 면은 면 ㄱㄴㅍㅎ과 **①** 한 면을 제외한 면 **②** 개입니다.

[답] **①** 평행 **②** 4

**대표 예제 | 04 |**

사각기둥의 전개도를 그려 보시오.

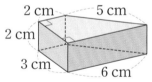

1 cm
1 cm

**개념가이드**

사다리꼴 모양의 밑면이 **①** 개, 직사각형 모양의 옆면이 **②** 개가 되도록 그립니다.

[답] **①** 2 **②** 4

각기둥과 각뿔을
구별해 봐.

## 대표 예제 | 05 |

입체도형을 보고 표를 완성해 보시오.

 가     나

| 도형 | 밑면의 모양 | 옆면의 모양 | 밑면의 수(개) |
|---|---|---|---|
| 가 | | | |
| 나 | | | |

### 개념가이드

가는 ❶ 각기둥이고 나는 ❷ 각뿔입니다.

[답] ❶육 ❷육

## 대표 예제 | 06 |

전개도를 접어서 각기둥을 만들었습니다.
□ 안에 알맞은 수를 써넣으시오.

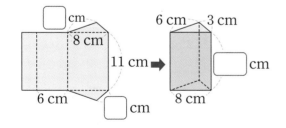

### 개념가이드

밑면의 변의 길이는 6 cm, 3 cm, ❶ cm입니다.
11 cm는 각기둥의 ❷ 를 나타내는 길이입니다.

[답] ❶8 ❷높이

## 대표 예제 | 07 |

칠각뿔에서 모서리는 꼭짓점
보다 몇 개 더 많습니까?

(                    )

### 개념가이드

(칠각뿔의 모서리의 수)=(밑면의 변의 수)×2=❶ ×2
(칠각뿔의 꼭짓점의 수)=(밑면의 변의 수)+1=❷ +1

[답] ❶7 ❷7

## 대표 예제 | 08 |

옳은 문장은 ○표, 틀린 문장은 ×표 하시오.

• 칠각기둥의 모서리는 14개입니다.

(        )

• 면이 7개인 각기둥은 오각기둥입니다.

(        )

• 각기둥의 꼭짓점, 면, 모서리 중 모서리
의 수가 가장 큽니다.　　 (        )

### 개념가이드

칠각기둥의 모서리의 수: (7× ❶ )개
오각기둥의 면의 수: (5+ ❷ )개

[답] ❶3 ❷2

**3**
주

**대표 예제 | 09 |**

크기가 같은 쌓기나무를 사용하여 직육면체의 부피를 비교하고 부피가 큰 직육면체부터 기호를 차례로 쓰시오.

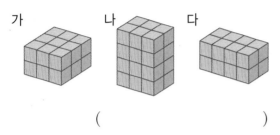

가    나    다

( )

**개념가이드**

가는 한 층에 **❶** 개씩 **❷** 층으로 쌓은 것입니다.
나, 다도 몇 개씩 몇 층으로 쌓은 것인지 구하고 쌓기나무 수를 비교합니다.

[답] **❶** 9 **❷** 2

**대표 예제 | 10 |**

채은이는 가로가 20 cm, 세로가 10 cm, 높이가 4 cm인 직육면체 모양의 필통을 샀습니다. 채은이가 산 필통의 부피는 몇 cm³입니까?

( )

**개념가이드**

직육면체의 부피
➡ (20 × **❶** × **❷** ) cm³

[답] **❶** 10 **❷** 4

**대표 예제 | 11 |**

다음 직육면체의 부피는 몇 m³입니까?

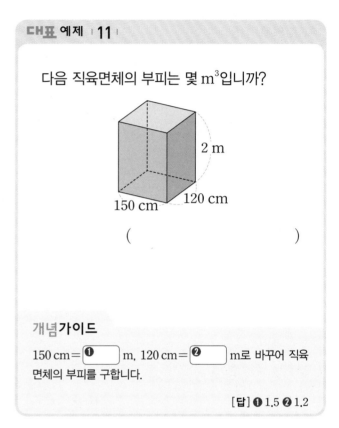

2 m
150 cm    120 cm

( )

**개념가이드**

150 cm = **❶** m, 120 cm = **❷** m로 바꾸어 직육면체의 부피를 구합니다.

[답] **❶** 1.5 **❷** 1.2

**대표 예제 | 12 |**

두 정육면체 가와 나의 겉넓이의 차를 구하시오.

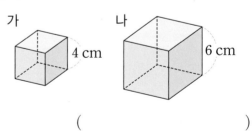

가    나
4 cm    6 cm

( )

**개념가이드**

정육면체 가의 겉넓이 ➡ (4 × 4 × **❶** ) cm²
정육면체 나의 겉넓이 ➡ (6 × **❷** × **❸** ) cm²

[답] **❶** 6 **❷** 6 **❸** 6

넌 최고로 잘하고 있어.

## 대표 예제 13

다음 전개도를 이용하여 직육면체 모양의 상자를 만들었습니다. 이 상자의 겉넓이는 몇 $cm^2$입니까?

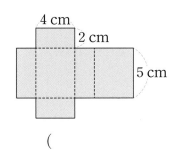

4 cm
2 cm
5 cm

( )

### 개념가이드

한 밑면의 넓이 ➡ $(4 \times \boxed{❶})$ $cm^2$

옆면의 넓이 ➡ $\{(2+4+2+\boxed{❷}) \times \boxed{❸}\}$ $cm^2$

[답] ❶2 ❷4 ❸5

## 대표 예제 15

카스텔라와 무지개떡 중에서 어느 것의 부피가 몇 $cm^3$ 더 큽니까?

9 cm
10 cm
15 cm
3 cm
9 cm
13 cm

( ),
( )

### 개념가이드

카스텔라의 부피는 $(10 \times 15 \times \boxed{❶})$ $cm^3$이고,

무지개떡의 부피는 $(9 \times 13 \times \boxed{❷})$ $cm^3$입니다.

[답] ❶9 ❷3

## 대표 예제 14

다음 중 잘못된 것을 모두 고르시오.

·········································· ( )

① $4.3 \ m^3 = 43000000 \ cm^3$

② $12 \ m^3 = 12000000 \ cm^3$

③ $1000000 \ cm^3 = 10 \ m^3$

④ $0.9 \ m^3 = 900000 \ cm^3$

⑤ $1500000 \ cm^3 = 1.5 \ m^3$

### 개념가이드

$1 \ m^3 = \boxed{❶} \ cm^3$, $1000000 \ cm^3 = \boxed{❷} \ m^3$

임을 이용하여 잘못된 것을 고릅니다.

[답] ❶1000000 ❷1

## 대표 예제 16

직육면체의 부피는 $140 \ cm^3$입니다. 이 직육면체의 높이를 구하시오.

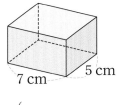

7 cm
5 cm

( )

### 개념가이드

$7 \times \boxed{❶} \times (높이) = \boxed{❷}$ 에서 높이를 구합니다.

[답] ❶5 ❷140

3 주

**1** 어떤 각기둥의 옆면만 그린 전개도의 일부분입니다. 이 각기둥의 밑면의 모양은 어떤 도형입니까?

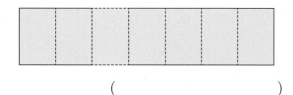

( )

**Tip**

옆면이 ❶[ ]개이므로 한 밑면의 변의 수도 ❷[ ]개입니다.

답 ❶7 ❷7

> 각기둥의
> 한 밑면의 변의 수와
> 옆면의 수는 같아요.

**2** 면이 10개인 각뿔은 모서리가 몇 개입니까?

( )

**Tip**

옆면은 (10−❶[ ])개이므로 밑면의 변의 수는 ❷[ ]개입니다.

답 ❶1 ❷9

**3** 옳은 문장은 ○표, 틀린 문장은 ×표 하고, 틀린 문장은 바르게 고쳐 보시오.

· 면이 7개인 각뿔은 육각뿔입니다. ( )

· 팔각기둥의 면의 수는 사각기둥의 면의 수의 2배입니다. ( )

· 각기둥의 옆면은 모두 직사각형이고, 각뿔의 옆면은 모두 삼각형입니다. ( )

**바르게 고치기**

_____

**Tip**

(육각뿔의 면의 수)=6+❶[ ]

(팔각기둥의 면의 수)=8+❷[ ]

(사각기둥의 면의 수)=4+❸[ ]

답 ❶1 ❷2 ❸2

**4** 밑면과 옆면의 모양이 그림과 같은 입체도형의 모든 모서리의 길이의 합은 몇 cm일까요?

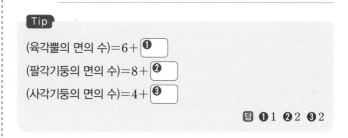

( )

**Tip**

밑면의 모양이 ❶[ ]이고 옆면이 직사각형이므로 ❷[ ]입니다.

답 ❶오각형 ❷오각기둥

**5** 직육면체 모양의 수조에 돌을 넣었더니 물의 높이가 4 cm 늘어났습니다. 이 돌의 부피를 구하시오.

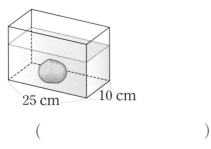

25 cm   10 cm

(                    )

Tip
(돌의 부피)
=(가로 25 cm, 세로 ❶⬚ cm, 높이 ❷⬚ cm인 직육면체의 부피)

답 ❶ 10  ❷ 4

**7** 다음 직육면체를 잘라서 가장 큰 정육면체를 1개 만들었습니다. 만든 정육면체의 부피는 몇 cm³입니까?

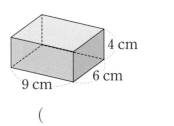

4 cm
6 cm
9 cm

(                    )

Tip
정육면체는 모든 모서리의 길이가 같습니다.
따라서 직육면체의 가장 짧은 모서리인 ❶⬚ cm를 정육면체의 한 모서리의 길이로 해야 합니다.
➡ (정육면체의 부피)=(❷⬚ × ❸⬚ × ❹⬚) cm³

답 ❶ 4  ❷ 4  ❸ 4  ❹ 4

**6** 한 모서리의 길이가 3 cm인 쌓기나무를 사용하여 다음과 같은 입체도형을 만들었습니다. 이 입체도형의 겉넓이를 구하시오.

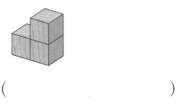

(                    )

Tip
쌓기나무의 한 면의 넓이는 ❶⬚ × ❷⬚ = ❸⬚ (cm²)입니다.
입체도형에 쌓기나무의 면이 모두 몇 개인지 알아봅니다.

답 ❶ 3  ❷ 3  ❸ 9

**8** 어떤 직육면체는 밑면의 넓이가 9 m²이고, 부피가 9900000 cm³입니다. 이 직육면체의 높이는 몇 m입니까?

(                    )

Tip
9900000 cm³=9.❶⬚ m³
9×(높이)=9.❷⬚ 에서 높이를 구합니다.

답 ❶ 9  ❷ 9

맞은 개수

개

**01** 옆면을 모두 찾아 쓰시오.

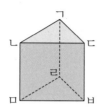

(                )

**02** 표를 완성하시오.

| 도형 | 한 밑면의 변의 수(개) | 꼭짓점의 수(개) | 면의 수(개) | 모서리의 수(개) |
|---|---|---|---|---|
| 사각기둥 | | | | |
| 육각기둥 | | | | |

**03** 전개도를 접었을 때 점 ㄱ과 만나는 점을 모두 찾아 쓰시오.

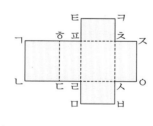

(                )

**04** 다음 각뿔에서 밑면의 수와 옆면의 수의 차는 몇 개입니까?

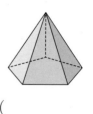

(                )

**05** 다음 각뿔의 밑면은 정사각형이고 옆면은 모두 합동일 때 모든 모서리의 길이의 합은 몇 cm입니까?

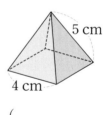

5 cm

4 cm

(                )

4 cm인 모서리와 5 cm인 모서리가 몇 개씩 있는지 세어 보세요.

**06** 부피가 더 작은 직육면체에 ○표 하시오.

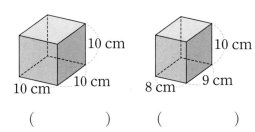

(        )     (        )

**07** 다음 직육면체의 부피를 구하시오.

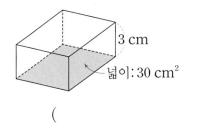

(                   )

**08** ☐ 안에 알맞은 수를 써넣으시오.

(1) $4.3 \, m^3 =$ ☐ $cm^3$

(2) $1770000 \, cm^3 =$ ☐ $m^3$

**09** 다음 전개도를 이용하여 정육면체 모양의 상자를 만들었습니다. 이 상자의 겉넓이는 몇 $cm^2$입니까?

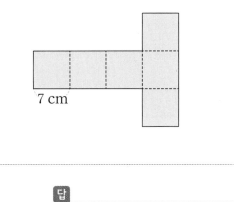

식 [_____]

답 [_____]

**10** 두 직육면체의 부피가 같을 때 ☐ 안에 알맞은 수를 써넣으시오.

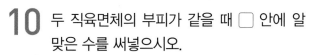

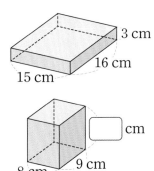

**창의 융합**

**1** 각뿔 모양을 찾아 기호를 쓰시오.

가 　나 　다 　라 　마

( 　　　　　　　 )

**2** 직육면체의 가로가 20 cm, 세로가 26 cm, 높이가 6 cm일 때, 부피는 몇 cm³입니까?

(            )

# 창의·융합·코딩 전략②

**1** 오른쪽과 같이 입체도형을 평면으로 잘랐습니다. 이때 생기는 두 입체도형의 이름을 각각 쓰시오.

(            ), (            )

**Tip**

자르기 전의 입체도형은 ❶   각기둥입니다. 잘라서 생긴 두 도형은 옆면이 모두 ❷   사각형입니다.

[답] ❶ 오 ❷ 직

**2** 다음 전개도를 접어서 만들 수 있는 도형을 찾아 기호를 쓰시오.

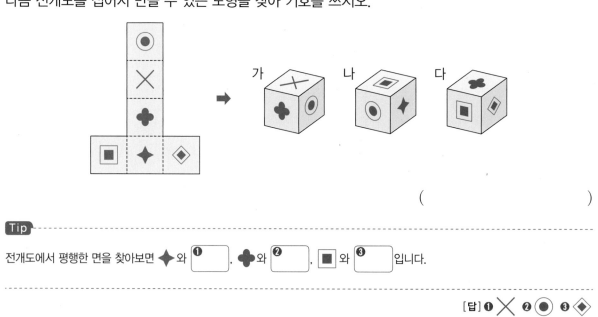

(                  )

**Tip**

전개도에서 평행한 면을 찾아보면 ✦와 ❶  , ♣와 ❷  , ■와 ❸  입니다.

[답] ❶ ✕ ❷ ● ❸ ◆

**창의 융합**

**3** 다음 입체도형의 면, 모서리, 꼭짓점의 수를 각각 구하시오.

겉에서 보이는 모양을 생각하세요.

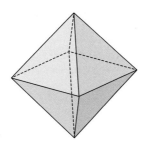

면 (                    ), 모서리 (                    ), 꼭짓점 (                    )

**Tip**

사각뿔 **❶** 개를 합쳐 놓은 모양의 입체도형입니다.

면의 수는 사각뿔의 옆면의 수의 **❷** 배와 같습니다.

[답] **❶** 2 **❷** 2

**문제 해결**

**4** 사각기둥의 전개도입니다. 색칠한 면이 밑면일 때 높이를 나타내는 선분을 모두 찾아 ○표 하시오.

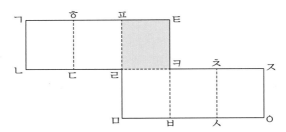

**Tip**

다른 한 밑면은 면 **❶** 입니다.

전개도를 접었을 때 두 밑면과 **❷** 으로 만나는 선분을 모두 찾습니다.

[답] **❶** ㄱㄴㄷㅎ **❷** 수직

창의 융합

**5** 작은 정육면체 모양의 각 모서리의 길이를 다음과 같이 늘여서 큰 정육면체를 만들었습니다. 큰 정육면체의 부피는 작은 정육면체의 부피의 몇 배인지 구하시오.

(1)

각 모서리의 길이를
10배로 늘임

작은 정육면체의 부피의
[        ]배가 됩니다.

(2)

각 모서리의 길이를
20배로 늘임

작은 정육면체의 부피의
[        ]배가 됩니다.

**Tip**

(정육면체의 부피)=(한 모서리의 길이)×(한 모서리의 길이)×(한 모서리의 길이)

각 모서리의 길이를 2배 하면 부피는

(한 모서리의 길이)×2×(한 모서리의 길이)×**❶**[    ]×(한 모서리의 길이)×**❷**[    ]

=(한 모서리의 길이)×(한 모서리의 길이)×(한 모서리의 길이)×**❸**[    ]이 됩니다.

[답] **❶** 2  **❷** 2  **❸** 8

문제 해결

**6** 소영이는 가로 25 cm, 세로 20 cm, 높이 30 cm인 직육면체 모양 나무를 오른쪽과 같이 직육면체 모양 2조각으로 잘랐습니다. 자른 나무 2조각의 겉넓이의 합은 처음 나무의 겉넓이보다 몇 cm² 늘어나는지 구하시오.

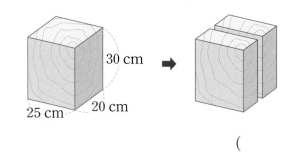

30 cm

25 cm  20 cm

(                                    )

**Tip**

나무를 자르면 가로 25 cm, 세로 **❶**[    ] cm인 면이 **❷**[    ]개 늘어납니다.

[답] **❶** 30  **❷** 2

**7** 직육면체 모양 상자를 위, 앞, 옆에서 본 모양입니다. 겉넓이를 구하시오.

(                                    )

> **Tip**
> 직육면체는 합동인 면이 **❶** 쌍입니다.
> $(6 \times 4)\,cm^2$인 면이 **❷** 개, $(6 \times 3)\,cm^2$인 면이 **❸** 개, $(4 \times 3)\,cm^2$인 면이 **❹** 개입니다.

[답] ❶ 3 ❷ 2 ❸ 2 ❹ 2

**8** 오른쪽 직육면체 모양의 나무를 잘라서 가장 큰 정육면체 모양 주사위를 1개 만들었습니다. 만든 주사위의 부피는 몇 $cm^3$입니까?

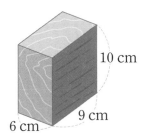

(                                    )

> **Tip**
> 직육면체의 가장 짧은 모서리를 한 모서리로 하는 **❶** 육면체를 만들어야 합니다.
> 만든 주사위의 한 모서리의 길이는 **❷** cm입니다.

[답] ❶ 정 ❷ 6

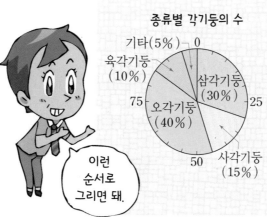

종류별 각기둥의 수

- 기타(5%)
- 육각기둥(10%)
- 오각기둥(40%)
- 삼각기둥(30%)
- 사각기둥(15%)

① 자료를 보고 각 항목의 백분율을 구합니다.
② 각 항목의 백분율의 합계가 100 %가 되는지 확인합니다.
③ 각 항목이 차지하는 백분율의 크기만큼 선을 그어 원을 나눕니다.
④ 나눈 부분에 각 항목의 내용과 백분율을 씁니다.
⑤ 원그래프의 제목을 씁니다.

# 신유형·신경향·서술형 전략

[관련 단원] 분수의 나눗셈

**1** 휘발유 3 L로 34 km를 가는 자동차가 있습니다. 이 자동차의 계기판을 보고 ☐ 안에 들어갈 대분수는 무엇인지 알아보시오.

❶ 남은 휘발유가 1 L일 때 주행 가능 거리를 구하는 식으로 알맞은 것에 ○표 하시오.

> (가는 거리)÷(필요한 휘발유의 양)
>
> (       )

> (필요한 휘발유의 양)÷(가는 거리)
>
> (       )

❷ ☐ 안에 들어갈 대분수를 구하시오.

식 _____ 답 _____

**Tip**

휘발유 1 L로 갈 수 있는 거리를 구할 때는 (거리)÷(❶ [　　　　]의 양)을 계산하고, 1 km를 갈 때 필요한 휘발유의 양을 구할 때는 (휘발유의 양)÷(❷ [　　　　])를 계산합니다.

[답] ❶ 휘발유 ❷ 거리

[관련 단원] **각기둥과 각뿔**

**2** 각기둥의 꼭짓점 ㄱ에서 출발하여 옆면을 모두 지나 꼭짓점 ㄴ까지 가는 가장 짧은 선을 그었습니다. 이 선을 전개도 위에 그어 보시오.

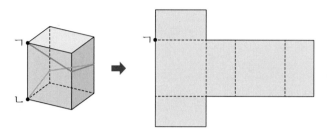

❶ 전개도에 점 ㄴ을 모두 찾아 표시하시오.

각기둥에서 모서리 ㄱㄴ을 잘라서 전개도를 만든 것이므로 점 ㄴ은 한 군데가 아닙니다.

❷ 전개도에서 점 ㄱ에서 출발하여 옆면을 모두 지나 점 ㄴ까지 가는 가장 짧은 선을 그어 보시오.

**Tip**

전개도에서 점 ㄴ을 모두 찾아 표시하면 ❶ ⬜군데입니다. 표시한 ❷ ⬜군데 점 ㄴ 중에서 알맞은 점을 찾아 점 ㄱ과 잇습니다.

[답] ❶ 2 ❷ 2

[ 관련 단원 ] **소수의 나눗셈**

**3** 다음과 같이 계산기 버튼을 차례로 눌렀습니다. 몫의 소수 열째 자리 숫자는 무엇인지 알아보시오.

**❶** 64÷55를 소수 다섯째 자리까지 계산하시오.

$$55\overline{)64}$$

**❷** 64÷55의 몫의 규칙을 완성하시오.

규칙 일의 자리와 소수 첫째 자리 숫자가

☐이고, 소수 둘째 자리 숫자부터

☐과 ☐이 번갈아 가며 반복됩니다.

> 소수점 아래 숫자에 어떤 규칙이 있는지 찾아봅니다.

**❸** 몫의 소수 열째 자리 숫자를 쓰시오.

(               )

Tip

64÷55의 계산은 0을 내려 계속 계산했을 때 나누어떨어지지 **❶**[     ].

소수 첫째 자리 숫자는 **❷**[   ]이고, 소수 둘째 자리부터 규칙이 있습니다.

[답] ❶ 않습니다 ❷ 1

[관련 단원] **비와 비율**

**4** 다음을 보고 정가가 32000원인 운동화를 A 쇼핑몰과 B 쇼핑몰 중 어느 쇼핑몰에서 사는 것이 얼마나 더 싼지 알아보시오.

❶ A 쇼핑몰에서는 운동화를 얼마에 살 수 있습니까?

( )

❷ B 쇼핑몰에서는 운동화를 얼마에 살 수 있습니까?

( )

❸ 어느 쇼핑몰에서 사는 것이 얼마나 더 쌉니까?

( ), ( )

**Tip**

20 % 할인해서 판매하는 가격(원): (원래 가격)−(원래 가격에 0.❶ 를 곱한 값)

6000원 할인해서 판매하는 가격(원): (원래 가격)−❷ 000

[답] ❶ 2 ❷ 6

[관련 단원] 여러 가지 그래프

**5** 우리나라 산업 구조의 변화를 나타낸 그래프입니다. 2000년 3차 산업 종사자가 1400만 명이라면 2000년 2차 산업 종사자는 몇 명인지 알아보시오.

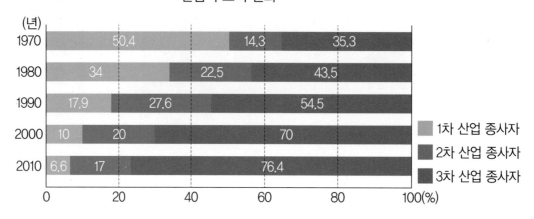

산업 구조의 변화

❶ 2000년 2차 산업 종사자는 3차 산업 종사자의 몇 분의 몇입니까?

( )

❷ 2000년 2차 산업 종사자는 몇 명입니까?

( )

**Tip**

$\dfrac{(❶\ \text{차 산업 종사자의 백분율})}{(❷\ \text{차 산업 종사자의 백분율})}$ 을 구해서 3차 산업 종사자 수에 곱합니다.

[답] ❶ 2  ❷ 3

▶정답 및 풀이 27쪽

[ 관련 단원 ] **직육면체의 부피와 겉넓이**

**6** 다음과 같이 큰 직육면체의 가운데에 직육면체가 뚫려 있는 입체도형의 부피는 몇 $cm^3$인지 알아보시오.

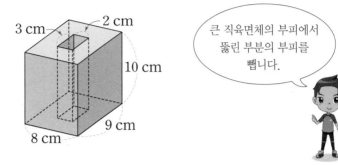

큰 직육면체의 부피에서 뚫린 부분의 부피를 뺍니다.

**❶** 뚫려 있지 않을 때 직육면체의 부피는 몇 $cm^3$입니까?

(           )

**❷** 뚫린 부분의 부피는 몇 $cm^3$입니까?

(           )

**❸** 입체도형의 부피는 몇 $cm^3$입니까?

(           )

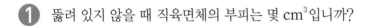

**Tip**

• 뚫려 있지 않을 때의 직육면체의 부피에서 뚫린 부분의 부피를 뺍니다.

• 뚫려 있지 않을 때의 직육면체의 부피: $(8 \times 9 \times$ **❶** $\boxed{\phantom{00}}) cm^3$

• 뚫린 부분의 부피: $(2 \times 3 \times$ **❷** $\boxed{\phantom{00}}) cm^3$

[답] ❶ 10 ❷ 10

01 $\dfrac{2}{3} \div 5$를 그림으로 나타내고, 몫을 구하시오.

(                )

02 ☐ 안에 알맞은 수를 써넣으시오.

$$\dfrac{3}{4} \div 5 = \dfrac{\boxed{\phantom{0}}}{20} \div 5 = \dfrac{\boxed{\phantom{0}} \div 5}{20} = \dfrac{\boxed{\phantom{0}}}{\boxed{\phantom{0}}}$$

03 나눗셈의 몫을 분수로 나타내시오.

(1) $3 \div 14$

(2) $25 \div 4$

04 빈칸에 알맞은 수를 써넣으시오.

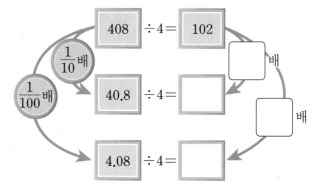

05 자연수의 나눗셈을 이용하여 소수의 나눗셈을 계산하시오.

$$484 \div 4 = 121$$
$$48.4 \div 4 = \boxed{\phantom{000}}$$
$$4.84 \div 4 = \boxed{\phantom{000}}$$

나누어지는 수가 어떻게 변하는지 살펴보세요.

**06** 빈 곳에 알맞은 수를 써넣으시오.

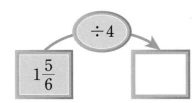

**07** 계산 결과의 크기를 비교하여 ○ 안에 >, =, <를 알맞게 써넣으시오.

$$4.35 \div 3 \quad \bigcirc \quad 6.2 \div 4$$

**08** 가장 큰 수를 가장 작은 수로 나눈 몫을 분수로 나타내시오.

| 6 | 7 | 5 | 10 | 18 |

(             )

**09** 다음 색 테이프를 7명이 똑같이 나누어 가지려고 합니다. 한 사람이 가지게 되는 색 테이프는 몇 m인지 분수로 나타내시오.

(                  )

**10** 어림셈을 이용하여 올바른 식을 찾아 ○표 하시오.

$$6936 \div 6 = 115.6$$
$$693.6 \div 6 = 11.56$$
$$69.36 \div 6 = 11.56$$

**11** 어림셈하여 몫의 소수점 위치를 찾아 표시
하시오.

$$32.4 \div 2$$

어림 ☐ ÷ ☐ ➡ 약 ☐

몫 1☐6☐2

**12** 빈 곳에 알맞은 수를 써넣으시오.

÷

| | | |
|---|---|---|
| 2.96 | 8 | |
| 9.45 | 9 | |

**13** 쌀 $\dfrac{35}{3}$ kg을 5봉지에 똑같이 나누어 담았
습니다. 한 봉지에 담은 쌀은 몇 kg입니까?

( )

**14** ☐ 안에 들어갈 수 있는 자연수를 모두 쓰
시오.

$$1\dfrac{2}{3} \div 3 > \dfrac{\square}{9}$$

$1\dfrac{2}{3} \div 3$을 먼저
계산하세요.

( )

**15** 정육각형을 똑같이 나누어 색칠한 것입니
다. 정육각형의 넓이가 $\dfrac{7}{10}$ m²일 때 색칠한
부분의 넓이는 몇 m²인지 구하시오.

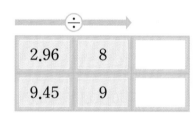

( )

**16** 무게가 같은 동화책 5권의 무게를 재어 보니 9 kg이었습니다. 이 동화책 1권의 무게는 몇 kg인지 소수로 나타내시오.

(            )

**17** 한 봉지에 4.5 kg인 콩을 사서 6명이 똑같이 나누어 가지려고 합니다. 한 명이 가질 수 있는 콩은 몇 kg인지 소수로 나타내시오.

(            )

**18** 수 카드 4장 중 2장을 사용하여 몫이 가장 큰 나눗셈식을 만들고 계산하여 답을 소수로 쓰시오.

$$\boxed{\phantom{0}} \div \boxed{\phantom{0}} = \boxed{\phantom{0}}$$

**19** 어떤 수를 11로 나누어야 할 것을 잘못하여 곱했더니 60이 나왔습니다. 바르게 계산하면 얼마인지 그 몫을 분수로 나타내시오.

(            )

**20** 기호 ★에 대하여 가★나＝(가－나)÷나 라고 약속할 때 다음을 계산하시오.

$$15.26 ★ 2$$

(            )

★은 어떤 약속에 따라 계산해야 되는지 생각해 보세요.

01 그림을 보고 ☐ 안에 알맞은 수를 써넣으시오.

(1) 귤 수와 파인애플 수의 비
➡ ☐ : ☐

(2) 귤 수의 파인애플 수에 대한 비
➡ ☐ : ☐

(3) 귤 수에 대한 파인애플 수의 비
➡ ☐ : ☐

02 연수네 학교의 6학년 남학생은 90명, 여학생은 81명입니다. 6학년 남학생 수와 여학생 수를 뺄셈과 나눗셈으로 각각 비교하시오.

뺄셈으로 비교하기

나눗셈으로 비교하기

03 전체에 대한 색칠한 부분의 비가 5 : 6이 되도록 색칠해 보시오.

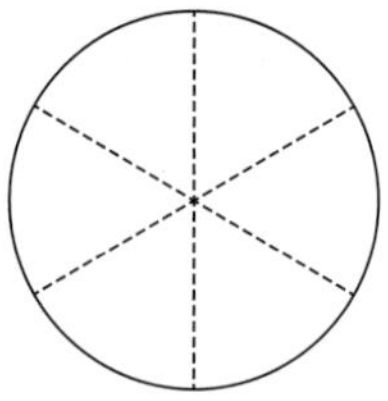

■ : ▲에서 ■는 부분, ▲는 전체를 나타냅니다.

[04~05] 재이네 반 학생들이 도서관에서 빌린 책의 종류를 조사한 띠그래프입니다. 물음에 답하시오.

종류별 빌린 권수

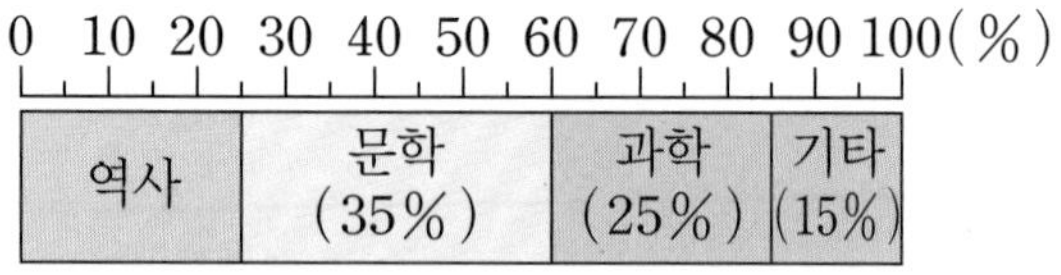

0 10 20 30 40 50 60 70 80 90 100(%)

| 역사 | 문학 (35%) | 과학 (25%) | 기타 (15%) |
|------|-----------|-----------|-----------|

04 학생들이 가장 많이 빌린 책의 종류는 무엇입니까?

(                    )

05 역사는 빌린 전체 책 수의 몇 %를 차지합니까?

(                    )

06 마을별 1인당 육류 소비량을 조사한 표입니다. 그림그래프로 나타내시오.

마을별 1인당 육류 소비량

| 마을 | 가 | 나 | 다 | 라 |
|---|---|---|---|---|
| 1인당 육류 소비량(kg) | 120 | 90 | 70 | 110 |

마을별 1인당 육류 소비량

| 마을 | 육류 소비량(kg) |
|---|---|
| 가 | |
| 나 | |
| 다 | |
| 라 | |

◎ 100 kg　● 10 kg

07 위 06의 그림그래프를 보고 알 수 있는 점을 2가지 써 보시오.

• _____

• _____

08 그림을 보고 전체에 대한 색칠한 부분의 비율을 백분율로 나타내시오.

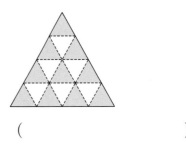

(　　　　　　　　　　　)

[09~10] 승민이네 학교 학생들이 좋아하는 계절을 조사하여 나타낸 것입니다. 물음에 답하시오.

좋아하는 계절별 학생 수

| 계절 | 봄 | 여름 | 가을 | 겨울 | 합계 |
|---|---|---|---|---|---|
| 학생 수(명) | 30 | 24 | 42 | 24 | 120 |
| 백분율(%) | | | | | |

09 위 표의 빈칸에 알맞은 수를 써넣으시오.

10 위 표를 보고 원그래프로 나타내시오.

좋아하는 계절별 학생 수

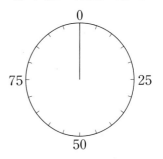

**11** 승유는 100 m를 달리는 데 17초가 걸렸습니다. 승유가 100 m를 달리는 데 걸린 시간에 대한 달린 거리의 비율을 구하시오.

(             )

**12** 운동회 때 춤을 장기 자랑으로 하는 것에 찬성하는 학생 수를 조사했습니다. 찬성률이 가장 낮은 반은 몇 반이고, 몇 %의 학생이 찬성했습니까?

| | 반 전체 학생 수(명) | 찬성하는 학생 수(명) |
|---|---|---|
| 1반 | 24 | 12 |
| 2반 | 25 | 15 |
| 3반 | 30 | 18 |

(             ),
(             )

**13** 원영이네 학교 학생들이 가고 싶은 고궁을 조사하여 나타낸 것입니다. 조사한 전체 학생이 160명일 때 창경궁에 가고 싶은 학생은 몇 명입니까?

가고 싶은 고궁별 학생 수

0 10 20 30 40 50 60 70 80 90 100 ( % )

| 경복궁 | 덕수궁 | 창경궁 | 기타 |
|---|---|---|---|

(             )

**14** 두 마을의 인구와 넓이를 조사한 것입니다. 두 마을 중 인구가 더 밀집한 곳은 어디입니까?

| 마을 | 가 | 나 |
|---|---|---|
| 인구(명) | 150000 | 180000 |
| 넓이(km$^2$) | 25 | 32 |

(             )

**15** 다음 막대그래프를 보고 띠그래프로 나타내시오.

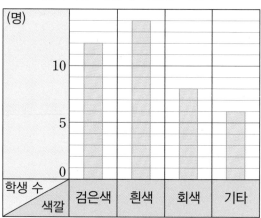

좋아하는 자동차 색깔별 학생 수

좋아하는 자동차 색깔별 학생 수

0 10 20 30 40 50 60 70 80 90 100 ( % )

[16~17] 다음은 어느 지역의 토지 이용도를 나타낸 원그래프입니다. 토지 전체의 넓이는 20 km²입니다. 물음에 답하시오.

토지별 이용도

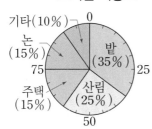

밭의 이용도

**16** 감자를 심은 넓이는 몇 km²입니까?

( )

**17** 고구마를 심은 넓이는 고추를 심은 넓이보다 몇 km² 더 넓습니까?

( )

**18** 세아네 학교 학생들이 등교하는 방법을 조사한 원그래프입니다. 도보로 등교하는 학생이 90명일 때 조사한 학생은 모두 몇 명입니까?

등교 방법별 학생 수

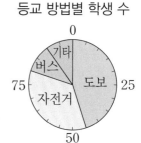

( )

**19** 준하와 민지가 만든 소금물의 양과 소금물에 녹아 있는 소금의 양을 나타낸 것입니다. 누가 만든 소금물이 더 진합니까?

| 이름 | 소금물의 양(g) | 소금의 양(g) |
|------|------|------|
| 준하 | 300 | 60 |
| 민지 | 500 | 75 |

( )

**20** 준범이와 준한이의 야구 타율입니다. 전체 타수가 각각 150타라면 준한이는 준범이보다 안타를 몇 타 더 쳤습니까?

| 준범: 0.34 | 준한: 0.48 |

( )

**01** 각기둥을 보고 표를 완성하시오.

| 각기둥 | | |
|---|---|---|
| 밑면의 모양 | | |
| 각기둥의 이름 | | |

**02** 각기둥에서 밑면을 모두 찾아 쓰시오.

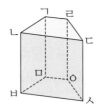

(                 )

**03** 각기둥의 겨냥도를 완성하시오.

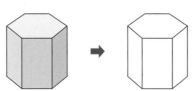

**04** 크기가 같은 쌓기나무를 사용하여 두 직육면체의 부피를 비교하고 ◯ 안에 >, =, < 를 알맞게 써넣으시오.

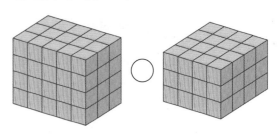

**05** 직육면체의 부피는 몇 $cm^3$입니까?

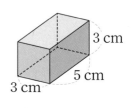

(                 )

> 직육면체에서 부피는 가로, 세로, 높이의 곱입니다.

**06** □ 안에 알맞은 수를 써넣으시오.

(1) $5500000 \text{ cm}^3 = \boxed{\phantom{000}} \text{ m}^3$

(2) $1.32 \text{ m}^3 = \boxed{\phantom{00000}} \text{ cm}^3$

**07** 각뿔을 보고 빈칸에 알맞게 써넣으시오.

| 각뿔의 이름 | 면의 수 (개) | 모서리의 수(개) | 꼭짓점의 수(개) |
|---|---|---|---|
|  |  |  |  |

**08** 부피가 더 큰 직육면체에 ○표 하시오.

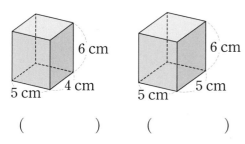

(         )        (         )

**09** 사각기둥의 전개도를 완성하시오.

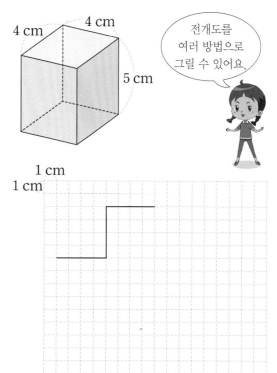

전개도를 여러 방법으로 그릴 수 있어요.

**10** 직육면체의 겉넓이는 몇 $\text{cm}^2$인지 구하시오.

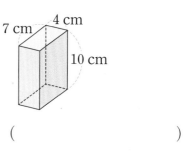

(                    )

**11** 직육면체의 부피는 630 cm³입니다. 이 직육면체의 높이를 구하시오.

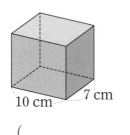

10 cm   7 cm

(                    )

**12** 삼각기둥의 전개도입니다. ☐ 안에 알맞은 수를 써넣으시오.

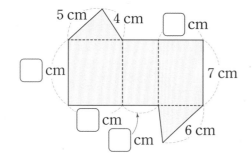

5 cm  4 cm  ☐ cm

☐ cm           7 cm

☐ cm

☐ cm   6 cm

**13** 십일각뿔에서 밑면의 수와 옆면의 수의 차는 몇 개입니까?

(                    )

**14** 모서리가 12개인 각뿔의 이름은 무엇입니까?

(                    )

각뿔의 모서리는 밑면의 변의 수의 2배입니다.

**15** 전개도를 접었을 때 선분 ㄱㄴ과 맞닿는 선분을 찾아 ○표 하시오.

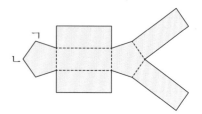

ㄱ
ㄴ

**16** 수조에 돌이 완전히 잠겨 있습니다. 이 돌을 수조에서 꺼냈더니 물의 높이가 50 cm 낮아졌습니다. 돌의 부피는 몇 m³입니까?

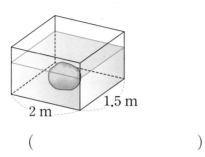

( )

**17** 정육면체 가의 겉넓이는 직육면체 나의 겉넓이와 같습니다. ☐ 안에 알맞은 수를 써넣으시오.

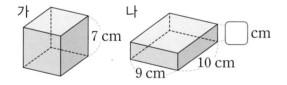

**18** 오른쪽 직육면체를 잘라서 가장 큰 정육면체를 1개 만들었습니다 만든 정육면체의 부피는 몇 cm³입니까?

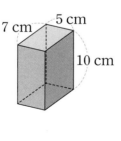

( )

**19** 다음 각기둥의 전개도를 그리면 전개도의 넓이는 몇 cm²입니까?

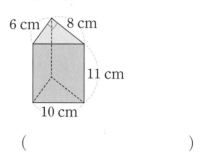

( )

**20** 다음 정육면체의 겉넓이가 384 cm²일 때 부피는 몇 cm³인지 구하시오.

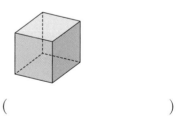

( )

메모

초등생의 필수 학습!
탄탄하게 다져두자!

수학
전략

초등 **수학**

천재교육

초등생의 필수 학습!
탄탄하게 다져두자!

수학
전략

초등 **수학**

**6·1**

**핵심개념**&**연산 집중연습**

천재교육

## 목차

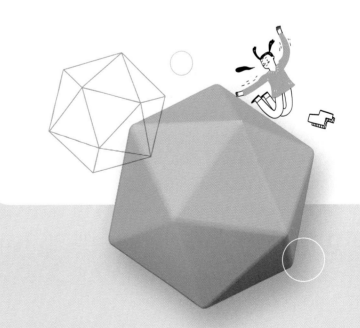

# 1 (자연수)÷(자연수)

◉ 2÷3의 계산

① 곱셈으로 나타내기

색칠한 부분은 2의 $\dfrac{1}{3}$이므로 $2 \times \dfrac{1}{3}$입니다. ➡ $2 \div 3 = 2 \times \dfrac{1}{3}$

$$\blacktriangle \div \blacksquare = \blacktriangle \times \dfrac{1}{\blacksquare}$$

② 나눗셈의 몫을 분수로 나타내기

$2 \div 3$의 몫을 분수로 나타내면 $\dfrac{2}{3}$입니다. ➡ $2 \div 3 = \dfrac{2}{3}$

$$\blacktriangle \div \blacksquare = \dfrac{\blacktriangle}{\blacksquare}$$

**예제** $3 \div 7$을 분수의 곱셈으로 나타내면 $3 \times \dfrac{1}{\boxed{❶}}$, 몫을 분수로 나타내면 $\dfrac{\boxed{❷}}{\boxed{❸}}$입니다.

[답] ❶ 7 ❷ 3 ❸ 7

## 핵심체크

**1** $5 \div 8$을 곱셈으로 나타내면 $\left( 5 \times \dfrac{1}{8} , \dfrac{1}{5} \times 8 \right)$입니다.

$\blacktriangle \div \blacksquare$를 분수의 곱셈으로 나타내면 $\blacktriangle \times \dfrac{1}{\blacksquare}$, 분수로 나타내면 $\dfrac{\blacktriangle}{\blacksquare}$입니다.

**2** $6 \div 20$의 몫을 분수로 나타내면 $\left( \dfrac{20}{6} , \dfrac{6}{20} \right)$입니다.

## 2 (분수)÷(자연수)

**◎ (분수)÷(자연수)를 계산하는 방법**

① 분자가 자연수의 배수일 때 ➡ 분자를 자연수로 나눕니다.

$$\frac{4}{5} \div 2 = \frac{4 \div 2}{5} = \frac{2}{5}$$

➡ 분자 4는 자연수 2의 배수이므로 분자를 자연수로 나눕니다.

② 분자가 자연수의 배수가 아닐 때 ➡ 크기가 같은 분수 중에 분자가 자연수의 배수인 수로 바꾸어 계산합니다.

$$\frac{3}{4} \div 2 = \frac{6}{8} \div 2 = \frac{6 \div 2}{8} = \frac{3}{8}$$

➡ 분자 3은 자연수 2의 배수가 아니므로 $\frac{3}{4}$ 을 $\frac{6}{8}$ 으로 바꿔서

분자를 자연수로 나눕니다.

**예제** $\frac{6}{7} \div 3 = \frac{6 \div ❶}{7} = \frac{❷}{7}$

$\frac{3}{8} \div 4 = \frac{12}{32} \div 4 = \frac{12 \div ❸}{32} = \frac{❹}{32}$

[답] ❶ 3 ❷ 2 ❸ 4 ❹ 3

## 핵심 체크

**1** $\frac{8}{9} \div 2$ 를 편리하게 계산할 수 있는 식은 $\left( \frac{8 \div 2}{9} , \frac{8}{9 \div 2} \right)$ 입니다.

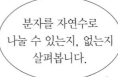
분자를 자연수로
나눌 수 있는지, 없는지
살펴봅니다.

**2** $\frac{5}{6} \div 4$ 를 편리하게 계산할 수 있는 식은 $\left( \frac{5}{6 \div 4} , \frac{20 \div 4}{24} \right)$ 입니다.

## 3 (분수)÷(자연수)를 곱셈으로 나타내기

○ (분수)÷(자연수)를 곱셈으로 바꾸어 계산하는 방법

(분수)÷(자연수)를 (분수)×$\dfrac{1}{(자연수)}$로 바꿔서 계산합니다.

① (진분수)÷(자연수)를 곱셈으로 나타내어 계산하기

$$\dfrac{5}{6} \div 8 = \dfrac{5}{6} \times \dfrac{1}{8} = \dfrac{5}{48}$$

➡ ÷8을 ×$\dfrac{1}{8}$로 바꿔서 계산합니다.

② (가분수)÷(자연수)를 곱셈으로 나타내어 계산하기

$$\dfrac{13}{9} \div 11 = \dfrac{13}{9} \times \dfrac{1}{11} = \dfrac{13}{99}$$

➡ ÷11을 ×$\dfrac{1}{11}$로 바꿔서 계산합니다.

**예제** $\dfrac{3}{8} \div 2 = \dfrac{3}{8} \times \dfrac{1}{\boxed{❶}} = \dfrac{3}{\boxed{❷}}$

$\dfrac{7}{3} \div 6 = \dfrac{7}{3} \times \dfrac{1}{\boxed{❸}} = \dfrac{7}{\boxed{❹}}$

[답] ❶ 2  ❷ 16  ❸ 6  ❹ 18

## 핵심 체크

**1** $\dfrac{1}{4} \div 4$를 곱셈으로 바꾸면 $\left( 4 \times 4 \ , \ \dfrac{1}{4} \times \dfrac{1}{4} \right)$입니다.

$\dfrac{\blacktriangle}{\blacksquare} \div \bigstar$을 곱셈식으로 바꾸면 $\dfrac{\blacktriangle}{\blacksquare} \times \dfrac{1}{\bigstar}$입니다.

**2** $\dfrac{7}{3} \div 3$을 곱셈으로 바꾸면 $\left( \dfrac{7}{3} \times \dfrac{1}{3} \ , \ \dfrac{7}{3} \times 3 \right)$입니다.

## 4 (대분수)÷(자연수)

● $2\frac{1}{4} \div 3$의 계산

① 대분수를 가분수로 바꾸고 분수의 분자를 자연수로 나누어 계산하기

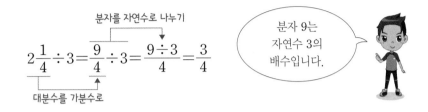

분자 9는
자연수 3의
배수입니다.

② 대분수를 가분수로 바꾸고 나눗셈을 곱셈으로 나타내어 계산하기

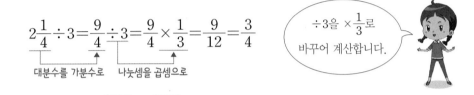

$\div 3$을 $\times \frac{1}{3}$로
바꾸어 계산합니다.

**예제** $3\frac{1}{5} \div 2 = \frac{16}{5} \div 2 = \frac{16 \div \text{❶}}{5} = \frac{\text{❷}}{5}$

$1\frac{2}{3} \div 7 = \frac{5}{3} \div 7 = \frac{5}{3} \times \frac{1}{\boxed{❸}} = \frac{5}{\boxed{❹}}$

[답] ❶ 2  ❷ 8  ❸ 7  ❹ 21

## 핵심 체크

**1** $2\frac{2}{3} \div 4 = \frac{8}{3} \div 4$에서 분자 8은 자연수 4의 배수이므로 $\left( \dfrac{8 \div 4}{3} , \dfrac{8}{3 \div 4} \right)$로 계산합니다.

**2** $4\frac{1}{2} \div 7 = \frac{9}{2} \div 7$에서 분자 9는 자연수 7의 배수가 아니므로 $\left( \dfrac{9}{2 \div 7} , \dfrac{9}{2} \times \dfrac{1}{7} \right)$로 계산합니다.

## 집중 연습

[01~04] 나눗셈의 몫을 분수로 나타내시오.

**01** $1 \div 6$

**02** $3 \div 4$

**03** $8 \div 7$

**04** $13 \div 8$

[05~08] 계산을 하시오.

**05** $\dfrac{8}{13} \div 4$

**06** $\dfrac{8}{9} \div 4$

**07** $\dfrac{9}{10} \div 3$

**08** $\dfrac{5}{12} \div 5$

[09~16] 계산을 하시오.

**09** $\dfrac{4}{7} \div 9$

**10** $\dfrac{7}{16} \div 3$

**11** $\dfrac{8}{9} \div 3$

**12** $\dfrac{5}{7} \div 4$

**13** $\dfrac{8}{3} \div 4$

**14** $\dfrac{14}{3} \div 7$

**15** $\dfrac{6}{5} \div 3$

**16** $\dfrac{24}{11} \div 8$

# 집중 연습

[17~24] 계산을 하시오.

**17** $\dfrac{5}{2} \div 4$

**18** $\dfrac{11}{8} \div 6$

**19** $\dfrac{7}{6} \div 5$

**20** $\dfrac{11}{10} \div 9$

**21** $2\dfrac{2}{5} \div 4$

**22** $4\dfrac{2}{7} \div 6$

**23** $4\dfrac{2}{3} \div 7$

**24** $3\dfrac{3}{4} \div 5$

[25~32] 계산을 하시오.

**25** $2\frac{1}{2} \div 6$

**29** $4\frac{1}{5} \div 7$

**26** $1\frac{3}{4} \div 8$

**30** $3\frac{3}{8} \div 5$

**27** $5\frac{1}{5} \div 9$

**31** $5\frac{1}{4} \div 6$

**28** $1\frac{1}{3} \div 3$

**32** $3\frac{1}{6} \div 9$

## 5 각기둥 알아보기

○ 각기둥: 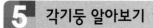 , , , 등과 같은 입체도형

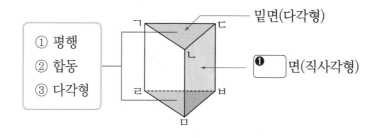

| ① 평행 |
| ② 합동 |
| ③ 다각형 |

밑면(다각형)

❶ [ ] 면(직사각형)

밑면: 서로 평행하고 합동인 두 면 (이때 두 밑면은 나머지 면들과 모두 수직으로 만납니다.)
└→ 면 ㄱㄴㄷ, 면 ㄹㅁㅂ

옆면: 두 밑면과 만나는 면 (이때 각기둥의 옆면은 모두 직사각형입니다.)
└→ 면 ㄱㄹㅁㄴ, 면 ㄴㅁㅂㄷ, 면 ㄱㄹㅂㄷ

○ 각기둥의 이름

각기둥은 ❷ [ ] 면의 모양에 따라 삼각기둥, 사각기둥, 오각기둥……이라고 합니다.

**참고**

| | 밑면의 모양 | 밑면의 수 | 옆면의 모양 |
|---|---|---|---|
| 각기둥 | 다각형 | 2개 | 직사각형 |

[답] ❶ 옆 ❷ 밑

## 핵심 체크

**1** 각기둥에서 서로 평행하고 합동이면서 나머지 다른 면에 수직인 두 면을 ( 밑면 , 옆면 )이라고 합니다.

> 각기둥은 위아래에 있는 면이 서로 평행하고 합동인 다각형으로 이루어진 입체도형을 말합니다.

**2** 각기둥에서 두 밑면과 만나는 면을 ( 밑면 , 옆면 )이라고 합니다.

# 6 각뿔 알아보기

● 각뿔:  ,  , 등과 같은 입체도형

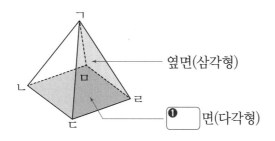

옆면(삼각형)

❶ [ ]면(다각형)

밑면: 각뿔을 놓았을 때 바닥에 놓인 면 (이때 각기둥의 밑면은 다각형입니다.)
└→ 면 ㄴㄷㄹㅁ

옆면: 밑면과 만나는 면 (이때 각기둥의 옆면은 모두 삼각형입니다.)
└→ 면 ㄱㄴㄷ, 면 ㄱㄷㄹ, 면 ㄱㄹㅁ, 면 ㄱㄴㅁ

● 각뿔의 이름

각뿔은 밑면의 모양에 따라 삼각뿔, 사각뿔, 오각뿔……이라고 합니다.

| 참고 | 밑면의 모양 | 밑면의 수 | 옆면의 모양 |
|------|-----------|----------|-----------|
| 각뿔 | 다각형 | ❷[ ]개 | 삼각형 |

[답] ❶ 밑 ❷ 1

# 핵심체크

1 각뿔을 놓았을 때 바닥에 놓인 면을 ( 밑면 , 옆면 )이라고 합니다.

각뿔은 밑에 놓인 면이 다각형이고 옆으로 둘러싼 면이 모두 삼각형인 입체도형을 말합니다.

2 각뿔에서 옆으로 둘러싸인 면으로 밑면과 만나는 면을 ( 밑면 , 옆면 )이라고 합니다.

## 7 각기둥과 각뿔의 구성 요소

○ 각기둥의 구성 요소

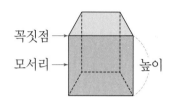

꼭짓점
모서리
높이

모서리 : 면과 면이 만나는 선분
꼭짓점 : 모서리와 모서리가 만나는 점
❶ [          ] : 두 밑면 사이의 거리

각기둥의 높이는 합동인 두 밑면의 대응하는 꼭짓점을 이은 모서리의 길이와 같습니다.

○ 각뿔의 구성 요소

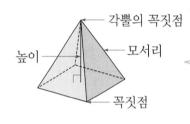

각뿔의 꼭짓점
모서리
높이
꼭짓점

각뿔의 높이 재는 법

각뿔의 ❷ [          ] : 꼭짓점 중에서도 옆면이 모두 만나는 점
높이 : 각뿔의 꼭짓점에서 밑면에 수직인 선분의 길이

○ 각기둥과 각뿔의 구성 요소의 수

|  | 밑면의 모양 | 꼭짓점의 수(개) | 면의 수(개) | 모서리의 수(개) |
|---|---|---|---|---|
| ■각기둥 | ■각형 | ■×2 | ■+❸[  ] | ■×3 |
| ▲각뿔 | ▲각형 | ▲+1 | ▲+1 | ▲×❹[  ] |

[답] ❶ 높이 ❷ 꼭짓점 ❸ 2 ❹ 2

## 핵심체크

1

각기둥에서 두 밑면 사이의 거리를 ( 모서리 , 높이 )라고 합니다.

2

각뿔의 꼭짓점에서 밑면에 수직인 선분의 길이를 ( 모서리 , 높이 )라고 합니다.

## 8 각기둥의 전개도 알아보고 그리기

○ 각기둥의 전개도: 각기둥의 모서리를 잘라서 평면 위에 펼쳐 놓은 그림

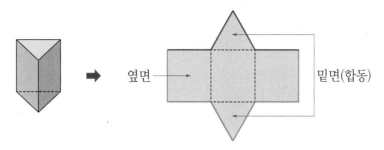

옆면 ⟶        밑면(합동)

① 각기둥의 전개도에서 밑면은 항상 **❶**[　　]개이고, 옆면의 모양은 **❷**[　　　　　]입니다.

② 전개도를 접었을 때 서로 맞닿는 변의 길이는 같습니다.

○ 전개도를 그릴 때

① 자르는 선은 실선(——)으로 그립니다.

② 접히는 선은 **❸**[　　]선(-----)으로 그립니다.

○ 각기둥의 바른 전개도 찾는 법

① 접었을 때 서로 겹치는 면이 없는지 확인합니다.

② 접었을 때 맞닿는 부분의 길이가 같은지 확인합니다.

③ 접었을 때 만들어지는 입체도형의 옆면의 수가 한 밑면의 변의 수와 같은지 확인합니다.

[답] ❶ 2  ❷ 직사각형  ❸ 점

# 핵심체크

**1** 각기둥의 모서리를 잘라서 평면 위에 펼쳐 놓은 그림을 각기둥의 ( 겨냥도 , 전개도 )라고 합니다.

**2** 각기둥의 전개도를 그릴 때 접히는 선은 ( 점선 , 실선 )으로 그립니다.

# 집중 연습

[01~03] 각기둥이면 ○표, 각뿔이면 △표, 각기둥도 각뿔도 아니면 ×표 하시오.

**01**

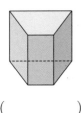

(          )

**02**

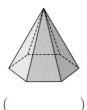

(          )

**03**

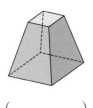

(          )

[04~06] 각기둥을 보고 면, 모서리, 꼭짓점은 각각 몇 개인지 구하시오.

**04**

오각기둥

면 (                    )
모서리 (                    )
꼭짓점 (                    )

**05**

육각기둥

면 (                    )
모서리 (                    )
꼭짓점 (                    )

**06**

팔각기둥

면 (                    )
모서리 (                    )
꼭짓점 (                    )

[07~09] 각뿔을 보고 면, 모서리, 꼭짓점은 각각 몇 개인지 구하시오.

**07**

오각뿔

면 (            )

모서리 (         )

꼭짓점 (         )

**08**

육각뿔

면 (            )

모서리 (         )

꼭짓점 (         )

**09**

팔각뿔

면 (            )

모서리 (         )

꼭짓점 (         )

[10~12] 어떤 각기둥의 전개도입니까?

**10**

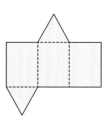

(                )

**11**

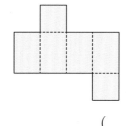

(                )

**12**

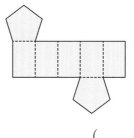

(                )

## 9 몫이 1보다 큰 소수인 (소수)÷(자연수)

### ⊙ 6.9÷3의 계산

**방법1** 분수로 바꾸어 계산하기

$$6.9 \div 3 = \frac{69}{10} \div 3 = \frac{69 \div 3}{10} = \frac{\boxed{❶}}{10} = 2.3$$

**방법2** 자연수의 나눗셈을 이용하기

$$\overset{\overset{\frac{1}{10}배}{\longrightarrow}}{69 \div 3 = 23} \implies \underset{\underset{\boxed{❷}}{\frac{1}{10}배}}{6.9 \div 3 = 2.3}$$

나누어지는 수가 $\frac{1}{10}$배가 되면

몫도 $\frac{1}{10}$배가 됩니다.

**방법3** 세로로 계산하기

```
     2 . 3
3 ) 6 . 9
   ┌─┐
   │❸│
   └─┘
     9
     9
   ─────
     0
```

몫의 소수점은 나누어지는 수 6.9의 소수점의 위치에 맞춰 찍어야 합니다.

[답] ❶ 23 ❷ 10 ❸ 6

## 핵심체크

**1** $168 \div 8 = 21 \implies 16.8 \div 8 = ($ 210 , 2.1 , 0.21 $)$

나누어지는 수가 나누는 수보다 크면 몫이 1보다 큽니다.

**2**

```
     3 1 1
4 ) 1 2.4 4
```

왼쪽 나눗셈에서 몫의 소수점을 나누어지는 수 12.44의 소수점의 위치에 맞춰 찍으면 ( 311 , 31.1 , 3.11 )입니다.

# 10 몫이 1보다 작은 소수인 (소수)÷(자연수)

**◎ 2.84÷4의 계산**

**방법1** 분수로 바꾸어 계산하기

$$2.84 \div 4 = \frac{284}{100} \div 4 = \frac{284 \div 4}{100} = \frac{\boxed{❶}}{100} = 0.71$$

**방법2** 자연수의 나눗셈을 이용하기

$$284 \div 4 = 71 \implies 2.84 \div 4 = \boxed{❷}$$

$\frac{1}{100}$배

나누어지는 수가 $\frac{1}{100}$배가 되면 몫도 $\frac{1}{100}$배가 됩니다.

**방법3** 세로로 계산하기

$$
\begin{array}{r}
0.7\ 1 \\
4\overline{)2.8\ 4} \\
\boxed{❸} \\
\hline
4 \\
4 \\
\hline
0
\end{array}
$$

몫의 일의 자리에 0을 쓰고 소수점을 찍은 다음 계산합니다.

[답] ❶ 71  ❷ 0.71  ❸ 28

## 핵심 체크

**1**  $35 \div 7 = 5 \implies 3.5 \div 7 = ($ 50 , 0.5 , 0.05 $)$

나누어지는 수가 나누는 수보다 작으면 몫이 1보다 작습니다.

**2**
$$
\begin{array}{r}
8 \\
6\overline{)4.8}
\end{array}
$$

왼쪽 나눗셈에서 나누어지는 수 4.8이 나누는 수 6보다 작으므로 몫의 일의 자리에 ( 0 , 1 )을 쓰고 소수점을 찍은 다음 계산하면 몫은 ( 8 , 0.8 , 0.08 )입니다.

## 11 소수점 아래 0을 내려 계산해야 하는 (소수)÷(자연수)

**○ 7.6÷5의 계산**

**방법1** 분수로 바꾸어 계산하기

76÷5는 나누어떨어지지 않습니다.

$$7.6 \div 5 = \frac{76}{10} \div 5 = \frac{760}{100} \div 5 = \frac{760 \div 5}{❶} = \frac{152}{100} = ❷$$

**방법2** 자연수의 나눗셈을 이용하기

$$760 \div 5 = 152$$

$\frac{1}{100}$배 ↓      ↓ $\frac{1}{100}$배

$$7.6 \div 5 = 1.52$$

7.6은 760의 $\frac{1}{100}$배이므로

7.6÷5의 몫은 152의 $\frac{1}{100}$배입니다.

**방법3** 세로로 계산하기

```
      1 . 5 2
  5 ) 7 . 6 0
      5
      2 6
      2 5
        1 0
        ❸
        0
```

나누어떨어지지 않을 경우 나누어지는 수의 오른쪽 끝자리에 0이 계속 있는 것으로 생각하고 0을 내려 계산합니다.

[답] ❶ 100   ❷ 1.52   ❸ 10

## 핵심체크

**1** 9.2÷8을 분수로 바꾸어 계산하려면 $\left( \dfrac{92 \div 8}{100} , \dfrac{920 \div 8}{100} \right)$을 이용하면 편리합니다.

**2** 1740÷4=435 ➡ 17.4÷4=( 4350 , 43.5 , 4.35 )

# 12 (자연수)÷(자연수)의 몫을 소수로 나타내기

● 5÷4의 계산

**방법1** 분수로 바꾸어 계산하기

$$5 \div 4 = \frac{5}{4} = \frac{5 \times 25}{4 \times \boxed{\textbf{❶}}} = \frac{125}{100} = 1.25$$

**방법2** 자연수의 나눗셈을 이용하기

$$\overset{\frac{1}{100}\text{배}}{\overline{500 \div 4 = 125}} \Rightarrow \underset{\frac{1}{100}\text{배}}{\overline{5 \div 4 = \boxed{\textbf{❷}}}}$$

> 5는 500의 $\frac{1}{100}$배이므로
>
> 5÷4의 몫은 125의 $\frac{1}{100}$배입니다.

**방법3** 세로로 계산하기

$$\begin{array}{r} \boxed{\textbf{❸}}.2\;5 \\ 4\overline{)\,5\,.\,0\;0\phantom{0}} \\ 4\phantom{0000} \\ \hline 1\;0\phantom{00} \\ 8\phantom{0} \\ \hline 2\;0 \\ 2\;0 \\ \hline 0 \end{array}$$

> 나누어떨어지지 않을 경우 나누어지는 수의 소수점 아래에 0이 계속 있는 것으로 생각하고 0을 내려 계산합니다.

[답] ❶ 25  ❷ 1.25  ❸ 1

## 핵심체크

**1** $9 \div 5 = \frac{9}{5}$이므로 $\left( \dfrac{9 \times 2}{5 \times 2} , \dfrac{9 \times 9}{5 \times 5} \right)$를 이용하면 편리합니다.

> 분모가 10, 100, 1000인 분수로 바꾸면 소수로 나타내기 쉽습니다.

**2** $240 \div 15 = 16 \Rightarrow 24 \div 15 = ( \,160 , 1.6 , 0.16\, )$

# 집중 연습

[01~08] 계산을 하시오.

**01**

$4 ) \overline{9.6}$

**02**

$3 ) \overline{1\,2.6}$

**03**

$6 ) \overline{1\,8.6}$

**04**

$5 ) \overline{1\,0.5}$

**05**

$8 ) \overline{1\,7.6}$

**06**

$5 ) \overline{1\,6.5}$

**07**

$7 ) \overline{2\,9.4}$

**08**

$6 ) \overline{2\,2.8}$

[09~16] 계산을 하시오.

**09**

$4 \overline{)7.3\ 2}$

**10**

$4 \overline{)6\ 9.2}$

**11**

$5 \overline{)8\ 7.5}$

**12**

$6 \overline{)9\ 7.8}$

**13**

$5 \overline{)4.1\ 5}$

**14**

$7 \overline{)2.9\ 4}$

**15**

$3 \overline{)0.5\ 4}$

**16**

$6 \overline{)4.9\ 8}$

## 집중 연습

[17~24] 계산을 하시오.

**17**

$4\overline{)5.4}$

**18**

$5\overline{)6.8}$

**19**

$6\overline{)6.9}$

**20**

$8\overline{)19.6}$

**21**

$3\overline{)9.24}$

**22**

$7\overline{)7.49}$

**23**

$8\overline{)32.4}$

**24**

$5\overline{)35.1}$

[25~32] 계산을 하시오.

**25**

$8 \overline{)2.0\ 8}$

**26**

$9 \overline{)1\ 8.3\ 6}$

**27**

$6 \overline{)8.1}$

**28**

$7 \overline{)5.8\ 1}$

**29**

$4 \overline{)1\ 1}$

**30**

$8 \overline{)6}$

**31**

$5 \overline{)6}$

**32**

$16 \overline{)2\ 0}$

## 13 비 알아보기

사과 5개와 귤 4개를 한 묶음으로 묶었습니다.

사과 수와 귤의 수를 나눗셈으로 비교하기 위해 기호 : 을 사용하여 나타낸 것을 비라고 합니다.
두 수 5와 4를 비교할 때 5 : 4라 쓰고 5 대 4라고 읽습니다.

| 쓰기 | 읽기 |
|---|---|
| 5 : 4 | 5 대 4<br>4에 대한 5의 비<br>5의 4에 대한 비<br>5와 4의 비 |

**예제** 7 : 1은 ❶[   ] 대 ❷[   ]이라고 읽습니다.

6과 9의 비는 ❸[   ] : ❹[   ]라고 씁니다.

[답] ❶ 7 ❷ 1 ❸ 6 ❹ 9

## 핵심 체크

**1** 3 : 8은 ( 3과 8의 비 , 8의 3에 대한 비 )라고 읽습니다.

3 : 8은 3이 8을 기준으로 몇 배인지를 나타내는 비입니다.

**2** 10에 대한 9의 비는 ( 10 : 9 , 9 : 10 )으로 씁니다.

# 14 비율 알아보기

● 기준량과 비교하는 양

비 5 : 4에서 기호 : 의 오른쪽에 있는 4는 기준량이고, 왼쪽에 있는 5는 비교하는 양입니다.

$$5 \ : \ 4$$

비교하는 양     기준량

● 비율: 기준량에 대한 비교하는 양의 크기

$$(비율) = (비교하는\ 양) \div (기준량) = \frac{(비교하는\ 양)}{(기준량)}$$

● 비를 비율로 나타내기

① 분수로 나타내기 ➡ 5 : 4 ➡ $\dfrac{5}{4}$ ← 비교하는 양 ← 기준량

② 소수로 나타내기 ➡ 5 : 4 ➡ $5 \div 4 = 1.25$

**예제** 비 1 : 2에서 비교하는 양은 1이고, 기준량은 ❶□ 입니다.

비 2 : 5를 비율로 나타내면 $\dfrac{❷□}{5}$ 또는 0.4입니다.

[답] ❶ 2 ❷ 2

# 핵심 체크

**1** 3 : 2를 비율로 나타내면 $\left( \dfrac{3}{2} , \dfrac{2}{3} \right)$ 입니다.

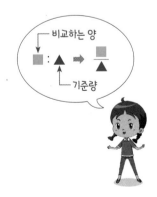

**2** 5 : 7 ➡ 비교하는 양 □ , 기준량 □

# 15 백분율 알아보기

○ 백분율: 기준량을 100으로 할 때의 비율

백분율은 기호 %를 사용하여 나타냅니다. 비율 $\frac{73}{100}$ 을 73 %라 쓰고 73퍼센트라고 읽습니다.

| 비율 | | 백분율 | |
|---|---|---|---|
| $\frac{73}{100}$ | ⇒ | 쓰기 | 읽기 |
| | | 73 % | 73퍼센트 |

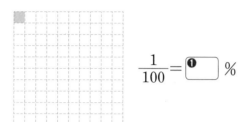 $\frac{1}{100} = \boxed{①}$ %

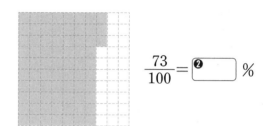 $\frac{73}{100} = \boxed{②}$ %

○ 비율을 백분율로 나타내기

① 분수를 백분율로 나타내기

비율 $\frac{19}{100}$ 를 백분율로 나타내면 $\frac{19}{100} \times 100 = 19$ 이므로 19 %입니다.

② 소수를 백분율로 나타내기

비율 0.25를 백분율로 나타내면 $0.25 \times 100 = \boxed{③}$ 이므로 $\boxed{④}$ %입니다.

[답] ❶ 1  ❷ 73  ❸ 25  ❹ 25

## 핵심 체크

**1** 백분율은 기준량을 ( 1 , 10 , 100 )으로 할 때의 비율입니다.

**2** 비율 0.5를 백분율로 나타내는 식은 ( 0.5×10 , 0.5×100 )입니다.

## 16 백분율을 분수 또는 소수로 나타내기

◎ 백분율을 분수로 나타내기

> 백분율을 분수로 나타내려면 % 앞의 수에 $\times \dfrac{1}{100}$ 을 합니다.

① 백분율 42 %를 분수로 나타내면 $42 \times \dfrac{1}{100} = \dfrac{42}{100}$ 입니다.

② 백분율 6 %를 분수로 나타내면 $6 \times \dfrac{1}{100} = \dfrac{6}{100}$ 입니다.

◎ 백분율을 소수로 나타내기

> 백분율을 소수로 나타내려면 % 앞의 수에 $\div 100$ 을 합니다.

① 백분율 42 %를 소수로 나타내면 $42 \div 100 = 0.42$ 입니다.

② 백분율 6 %를 소수로 나타내면 $6 \div 100 = 0.06$ 입니다.

**예제** 92 %를 분수로 나타내면 $\dfrac{❶}{100}$ 입니다.

13 %를 소수로 나타내면 ❷ 입니다.

[답] ❶ 92 ❷ 0.13

## 핵심체크

**1** 73 %를 분수로 나타내면 $\left( \dfrac{73}{100} , \dfrac{100}{73} \right)$ 입니다.

> ■ %를
> 분수로 나타내면
> $\dfrac{■}{100}$ 입니다.

**2** 70 %를 소수로 나타내면 ( 0.7 , 0.07 )입니다.

## 17 비율이 사용되는 경우 알아보기

**○ 시간에 대한 거리의 비율**

버스가 160 km를 가는 데 2시간이 걸렸을 때 걸린 시간에 대한 간 거리의 비율 ➡ $\dfrac{160}{2}(=80)$

2시간 ― 160 km

**○ 넓이에 대한 인구의 비율**

| 인구(명) | 4000 |
|---|---|
| 넓이($km^2$) | 8 |

넓이에 대한 인구의 비율 ➡ $\dfrac{4000}{8}(=500)$

8 ― 4000

**○ 주스 양에 대한 원액 양의 비율**

포도 원액 50 mL를 넣어 포도주스 150 mL를 만들었을 때 포도주스 양에 대한 포도 원액 양의 비율

150 mL ― 50 mL

➡ $\dfrac{50}{150}\left(=\dfrac{1}{3}\right)$

**예제** 100 m를 걷는 데 5분이 걸렸을 때 걸린 시간에 대한 간 거리의 비율은 $\dfrac{\boxed{\textbf{❶}\phantom{00000}}}{5}$ 입니다.

넓이가 30 $km^2$이고 인구가 66000명인 도시에서 넓이에 대한 인구의 비율은 $\dfrac{\boxed{\textbf{❷}\phantom{00000}}}{30}$ 입니다.

[답] ❶ 100　❷ 66000

## 핵심 체크

**1**

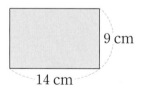

9 cm

14 cm

세로에 대한 가로의 비율을 분수로 나타내면 $\left(\dfrac{9}{14},\ \dfrac{14}{9}\right)$입니다.

**2**

| 전체 타수(개) | 25 |
|---|---|
| 안타(개) | 11 |

야구에서 전체 타수에 대한 안타의 비율을 구하면 $\left(\dfrac{11}{25},\ \dfrac{25}{11}\right)$입니다.

## 18 백분율이 사용되는 경우 알아보기

◉ 할인율을 백분율로 나타내기

| 품목 | 지우개 |
|---|---|
| 원래 가격 | 200원 |
| 할인된 판매 가격 | 150원 |

$(할인율)$
$=\dfrac{(할인\ 금액)}{(원래\ 가격)}$

지우개의 할인 금액은 원래 가격의 몇 % 인지 구하기

$200-150=50(원)$    $200원$

$\dfrac{(할인\ 금액)}{(원래\ 가격)} = \dfrac{50}{200} = \dfrac{25}{100} = \boxed{\text{❶}}\ \%$

◉ 소금물의 진하기 알아보기

소금 8 g을 녹여 소금물 100 g을 만들었을 때의 소금물의 진하기

$(소금의\ 진하기)$
$=\dfrac{(소금\ 양)}{(소금물의\ 양)}$

$\dfrac{(소금\ 양)}{(소금물의\ 양)} = \dfrac{8}{100} = \boxed{\text{❷}}\ \%$

참고 (소금물의 양)＝(물 양)＋(소금 양)

[답] ❶ 25   ❷ 8

## 핵심체크

**1**

| 품목 | 모자 |
|---|---|
| 원래 가격 | 2500원 |
| 할인된 판매 가격 | 2000원 |

모자의 할인 금액은 원래 가격의 얼마만큼인지 백분율로 나타내면 $\dfrac{500}{2500} = \dfrac{20}{100} = \boxed{\phantom{00}}\ \%$ 입니다.

**2**   소금 15 g을 녹여 소금물 100 g을 만들었을 때의 소금물의 진하기를 백분율로 나타내면

$\dfrac{15}{100} = \boxed{\phantom{00}}\ \%$ 입니다.

## 집중 연습

[01~04] □ 안에 알맞은 수를 써넣으시오.

01 2 : 3 ➡ □ 대 □

□와/과 □의 비

02 8 : 3 ➡ □에 대한 □의 비

□의 □에 대한 비

03 7 : 9 ➡ □ 대 □

□에 대한 □의 비

04 13 : 15 ➡ □와/과 □의 비

□의 □에 대한 비

[05~08] 비율을 분수와 소수로 차례로 나타내시오.

05 7 : 4의 비율

( ), ( )

06 13 : 25의 비율

( ), ( )

07 19 대 20의 비율

( ), ( )

08 50에 대한 31의 비율

( ), ( )

**[09~12]** 백분율로 나타내시오.

**09** 0.75 ➡ (              )

**10** 0.05 ➡ (              )

**11** $\dfrac{37}{50}$ ➡ (              )

**12** $\dfrac{9}{25}$ ➡ (              )

**[13~16]** 백분율을 분수와 소수로 차례로 나타내시오.

**13** 47 %

(          ), (          )

**14** 3 %

(          ), (          )

**15** 69 %

(          ), (          )

**16** 51 %

(          ), (          )

## 19 그림그래프 알아보기

● 그림그래프: 조사한 수를 그림으로 나타낸 그래프

마을별 쌀 생산량

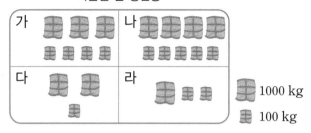

| | | | | |
|---|---|---|---|---|
| 가: 🟫 3개, 🟫 4개 ➡ 3400 kg | | 나: 🟫 4개, 🟫 5개 ➡ 4500 kg | | |
| 다: 🟫 2개, 🟫 1개 ➡ 2100 kg | | 라: 🟫 1개, 🟫 2개 ➡ 1200 kg | | |

쌀 생산량이 가장 많은 마을 ➡ 1000 kg 그림의 수가 가장 많은 나 마을입니다.

쌀 생산량이 가장 적은 마을 ➡ 1000 kg 그림의 수가 가장 적은 라 마을입니다.

**예제** 위 그림그래프에서 🟫 (큰 그림)은 [❶       ] kg을 나타냅니다.

위 그림그래프에서 🟫 (작은 그림)은 [❷       ] kg을 나타냅니다.

[답] ❶ 1000  ❷ 100

## 핵심 체크

마을별 자동차 수

**1**  위와 같은 그래프를 ( 그림그래프 , 띠그래프 )라고 합니다.

**2**  자동차가 가장 많은 마을은 ( 가 , 나 , 다 , 라 ) 마을입니다.

## 20 띠그래프 알아보기

● 띠그래프: 전체에 대한 각 부분의 비율을 띠 모양에 나타낸 그래프

좋아하는 과일별 학생 수

0  10  20  30  40  50  60  70  80  90  100(%)

| 배<br>(50%) | 사과<br>(25%) | 포도<br>(15%) | | 기타<br>(5%) |

굴(5%)

> 작은 눈금 한 칸은 5 %를 나타냅니다.

● 과일별 비율 알아보기

① 배를 좋아하는 학생은 전체의 50 % 입니다.

② 사과를 좋아하는 학생은 전체의 ❶ _____ % 입니다.

③ 포도를 좋아하는 학생은 전체의 ❷ _____ % 입니다.

④ 굴을 좋아하는 학생은 전체의 ❸ _____ % 입니다.

⑤ 기타 과일을 좋아하는 학생은 전체의 ❹ _____ % 입니다.

> 띠그래프에 표시된 눈금은 백분율을 나타냅니다.

● 비율이 가장 높은 것 알아보기

띠그래프에서 길이가 길수록 비율이 높습니다.

➡ 가장 많은 학생이 좋아하는 과일은 배입니다.

[답] ❶ 25  ❷ 15  ❸ 5  ❹ 5

## 핵심 체크

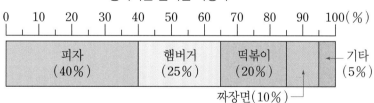

좋아하는 음식별 학생 수

0  10  20  30  40  50  60  70  80  90  100(%)

| 피자<br>(40%) | 햄버거<br>(25%) | 떡볶이<br>(20%) | | 기타<br>(5%) |

짜장면(10%)

**1** 위와 같은 그래프를 ( 띠그래프 , 원그래프 )라고 합니다.

**2** 가장 많은 학생이 좋아하는 음식은 ( 피자 , 햄버거 )입니다.

## 21 원그래프 알아보기

◉ **원그래프**: 전체에 대한 각 부분의 비율을 원 모양에 나타낸 그래프

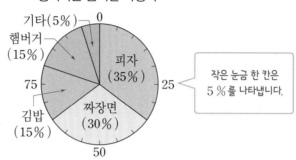

좋아하는 음식별 학생 수

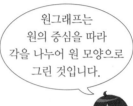

작은 눈금 한 칸은 5 %를 나타냅니다.

◉ **음식별 비율 알아보기**

① 피자를 좋아하는 학생은 전체의 35 %입니다.

② 짜장면을 좋아하는 학생은 전체의 **❶**         %입니다.

③ 김밥을 좋아하는 학생은 전체의 **❷**         %입니다.

④ 햄버거를 좋아하는 학생은 전체의 **❸**         %입니다.

⑤ 기타 음식을 좋아하는 학생은 전체의 5 %입니다.

원그래프는 원의 중심을 따라 각을 나누어 원 모양으로 그린 것입니다.

◉ **비율이 가장 높은 것 알아보기**

원그래프는 넓이가 넓을수록 비율이 높습니다.

➡ 가장 많은 학생이 좋아하는 음식은 피자입니다.

**참고** 비율그래프의 특징: 전체를 100 %로 하여 전체에 대한 각 부분의 비율을 알아보기 편리합니다.

[답] ❶ 30  ❷ 15  ❸ 15

## 핵심 체크

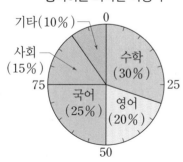

좋아하는 과목별 학생 수

**1** 왼쪽과 같은 그래프를 ( 띠그래프 , 원그래프 )라고 합니다.

**2** 국어를 좋아하는 학생은 전체의 ( 30 , 20 , 25 ) %입니다.

## 22 띠그래프, 원그래프 그리기

● 표를 보고 띠그래프와 원그래프 그리기

좋아하는 운동별 학생 수

|  | 농구 | 야구 | 축구 | 기타 | 합계 |
|---|---|---|---|---|---|
| 학생 수(명) | 48 | 36 | 24 | 12 | 120 |
| 백분율(%) | 40 | 30 | 20 | 10 | ❶ |

좋아하는 운동별 학생 수

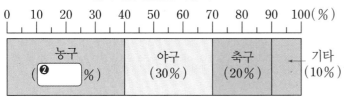

좋아하는 운동별 학생 수

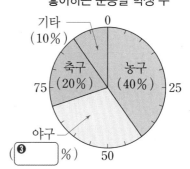

┌─ 백분율 구하는 방법 ─┐

농구: $\dfrac{48}{120} \times 100 = 40$이므로 40 %  야구: $\dfrac{36}{120} \times 100 = 30$이므로 30 %

축구: $\dfrac{24}{120} \times 100 = 20$이므로 20 %  기타: $\dfrac{12}{120} \times 100 = 10$이므로 10 %

참고 띠그래프, 원그래프 그리는 방법

① 백분율 구하기  ② 합계 확인하기  ③ 칸 구하기  ④ 항목 나타내기  ⑤ 제목 쓰기

[답] ❶ 100  ❷ 40  ❸ 30

## 핵심체크

**1** 띠그래프에서 백분율의 합계는 항상 ( 100 , 120 ) %입니다.

**2** 원그래프에서 백분율의 합계는 항상 ( 100 , 360 ) %입니다.

# 집중 연습

[01~03] 양계장별 하루 달걀 생산량을 조사하여 나타낸 그림그래프입니다. 물음에 답하시오.

### 양계장별 하루 달걀 생산량

◯100상자　◯10상자

**01** 나 양계장의 하루 달걀 생산량은 몇 상자입니까?

( 　　　　　　　　 )

**02** 라 양계장의 하루 달걀 생산량은 몇 상자입니까?

( 　　　　　　　　 )

**03** 하루 달걀 생산량이 가장 많은 양계장은 어디입니까?

( 　　　　　　　　 )

[04~06] 어느 지역의 수질 오염 발생 원인을 조사하여 나타낸 표입니다. 물음에 답하시오.

### 수질 오염 발생 원인

| 원인 | 생활 하수 | 산업 폐수 | 식품 폐수 | 기타 | 합계 |
|------|------|------|------|------|------|
| 발생 수(건) | 20 | 14 | 4 | 2 | 40 |
| 백분율(%) | 50 | | | | |

**04** 수질 오염 발생 원인의 백분율을 구하는 식의 ◻ 안에 알맞은 수를 써넣으시오.

생활 하수: $\dfrac{20}{40} \times 100 = \boxed{50}$

산업 폐수: $\dfrac{14}{40} \times 100 = \boxed{\phantom{00}}$

식품 폐수: $\dfrac{4}{40} \times 100 = \boxed{\phantom{00}}$

기타: $\dfrac{2}{40} \times 100 = \boxed{\phantom{00}}$

**05** 백분율의 합계는 몇 %입니까?

( 　　　　　　　　 )

**06** 표를 보고 띠그래프를 그려 보시오.

### 수질 오염 발생 원인

0　10　20　30　40　50　60　70　80　90　100(%)

[07~09] 현수네 마을에서 일주일 동안 발생한 재활
용품을 조사하여 나타낸 표입니다. 물음에 답하시오.

일주일 동안 발생한 재활용품

| 품목 | 종이 | 고철 | 빈 병 | 기타 | 합계 |
|------|------|------|------|------|------|
| 무게(kg) | 60 | 60 | 50 | 30 | 200 |
| 백분율(%) | 30 | | | | |

**07** 재활용품의 백분율을 구하는 식의 ☐ 안에 알맞은 수를 써넣으시오.

$$종이: \frac{60}{200} \times 100 = \boxed{30}$$

$$고철: \frac{60}{200} \times 100 = \boxed{\phantom{00}}$$

$$빈 병: \frac{50}{200} \times 100 = \boxed{\phantom{00}}$$

$$기타: \frac{30}{200} \times 100 = \boxed{\phantom{00}}$$

**08** 백분율의 합계는 몇 %입니까?

(           )

**09** 표를 보고 원그래프를 그려 보시오.

일주일 동안 발생한 재활용품

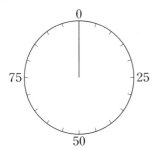

**10** 다음은 소영이네 학교 학생들이 좋아하는 중화요리를 조사하여 띠그래프로 나타낸 것입니다. 가장 많은 학생들이 좋아하는 음식은 무엇입니까?

좋아하는 중화요리별 학생 수

(           )

**11** 다음은 미주네 마을 사람들의 직업을 조사하여 나타낸 원그래프입니다. 회사원인 사람은 사업가인 사람의 몇 배입니까?

직업별 사람 수

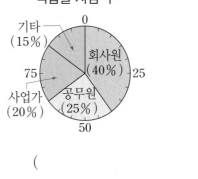

(           )

## 23 직육면체의 부피 비교하기

● 상자를 맞대어 비교하기

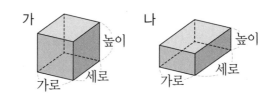

가로: 가 = 나 ⎤
세로: 가 < 나 ⎦ ➡ 어느 상자가 더 큰지 정확히 알 수 없습니다.
높이: 가 ❶◯ 나 ⎦

● 똑같은 모양의 쌓기나무를 사용하여 비교하기

 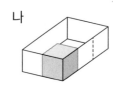

가는 8개, 나는 ❷☐ 개를 담을 수 있으므로 (가의 부피) ❸◯ (나의 부피)입니다.

[답] ❶ > ❷ 6 ❸ >

## 핵심 체크

1 쌓기나무를 사용하여 부피를 비교할 때 크기가 ( 같은 , 다른 ) 쌓기나무를 사용해야 부피를 비교할 수 있습니다.

2

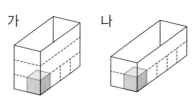

가는 24개, 나는 20개를 담을 수 있으므로 가 상자의 부피가 더 ( 큽니다 , 작습니다 ).

## 24 부피의 단위

개념 핵심노트

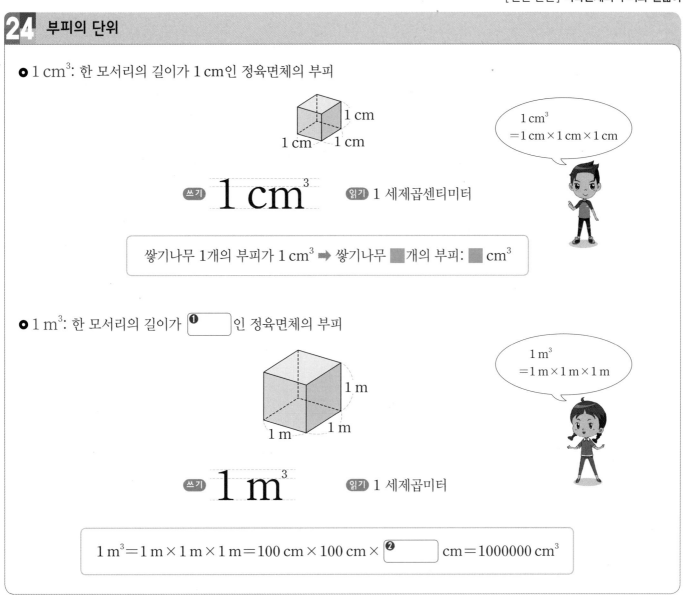

● 1 cm³: 한 모서리의 길이가 1 cm인 정육면체의 부피

1 cm
1 cm  1 cm

쓰기 $1 \, cm^3$   읽기 1 세제곱센티미터

1 cm³
=1 cm×1 cm×1 cm

쌓기나무 1개의 부피가 1 cm³ ➡ 쌓기나무 ■개의 부피: ■ cm³

● 1 m³: 한 모서리의 길이가 ❶ [    ]인 정육면체의 부피

1 m
1 m  1 m

쓰기 $1 \, m^3$   읽기 1 세제곱미터

1 m³
=1 m×1 m×1 m

$1 \, m^3 = 1 \, m × 1 \, m × 1 \, m = 100 \, cm × 100 \, cm × ❷[\quad] \, cm = 1000000 \, cm^3$

[답] ❶ 1 m ❷ 100

## 핵심체크

**1** 한 모서리의 길이가 1 cm인 정육면체의 부피는 ( $1 \, cm^2$ , $1 \, cm^3$ )입니다.

**2** 한 모서리의 길이가 1 m인 정육면체의 부피는 ( $1 \, cm^3$ , $1 \, m^3$ )입니다.

## 25 직육면체의 부피 구하기

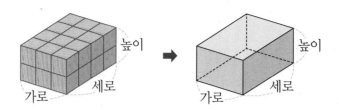

한 모서리의 길이가 1 cm인 정육면체 모양의 쌓기나무로 쌓았을 때

| 가로(cm) | 세로(cm) | 높이(cm) | 부피(cm³) |
|---|---|---|---|
| 3 | 4 | 2 | 24 |

$3 \times 4 \times 2 = 24\,(\text{cm}^3)$

직육면체의 부피는 밑면의 쌓기나무가 높이만큼 쌓여 있다고 볼 수 있습니다.

(직육면체의 부피) = (가로) × (세로) × (높이)

= (밑면의 ❶ ⬚) × (높이)

**예제** 직육면체의 부피는 가로, 세로, ❷ ⬚ 를 곱합니다.

[답] ❶ 넓이 ❷ 높이

## 핵심 체크

**1**

한 모서리의 길이가 1 cm인 정육면체 모양의 쌓기나무로 쌓았을 때

| 가로(cm) | 세로(cm) | 높이(cm) |
|---|---|---|
| 4 | 2 | 3 |

➡ 부피(cm³) = 4 × ⬚ × ⬚

**2**

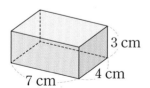

(직육면체의 부피) = (가로) × (세로) × (높이)

= ⬚ × ⬚ × 3

= 84 (cm³)

## 26 정육면체의 부피 구하기

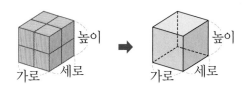

정육면체는 가로, 세로, 높이가 모두 같습니다.

한 모서리의 길이가 1 cm인 정육면체 모양의 쌓기나무로 쌓았을 때

| 가로(cm) | 세로(cm) | 높이(cm) | 부피(cm³) |
|---|---|---|---|
| 2 | 2 | 2 | 8 |

$2 \times 2 \times 2 = 8 (cm^3)$

(정육면체의 부피)＝(한 모서리의 길이)×(한 모서리의 길이)×(한 모서리의 길이)

**예제** 정육면체의 부피는 한 모서리의 길이를 ❶[    ]번 곱합니다.

(정육면체의 부피)＝(한 모서리의 길이)×(한 모서리의 길이)×(한 모서리의 ❷[        ])

[답] ❶ 3 ❷ 길이

## 핵심체크

**1**

한 모서리의 길이가 1 cm인 정육면체 모양의 쌓기나무로 쌓았을 때

| 가로(cm) | 세로(cm) | 높이(cm) |
|---|---|---|
| 3 | 3 | 3 |

➡ 부피(cm³)＝3×[  ]×[  ]

**2**

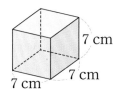
7 cm  7 cm  7 cm

(정육면체의 부피)＝(한 모서리의 길이)×(한 모서리의 길이)×(한 모서리의 길이)

＝[  ]×[  ]×7

＝343 (cm³)

## 27 직육면체의 겉넓이 구하기

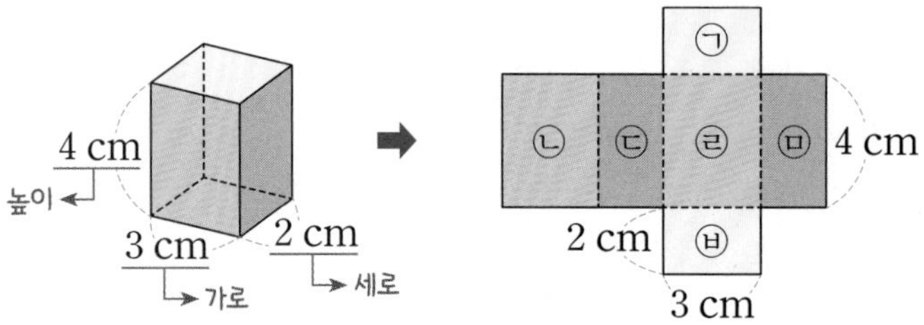


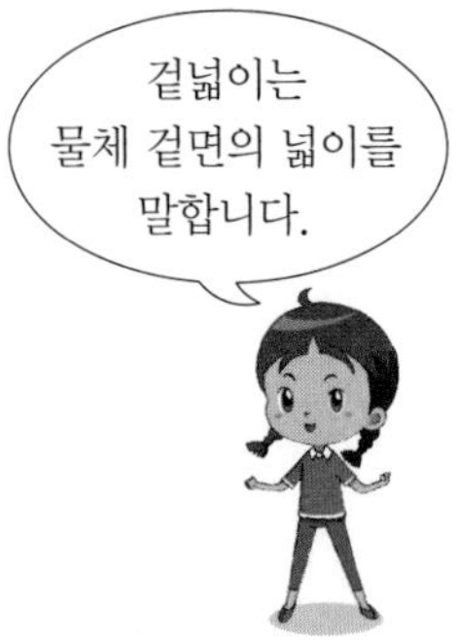


방법1 (여섯 면의 넓이의 합)$=\underset{㉠}{\underline{3\times2}}+\underset{㉥}{\underline{3\times2}}+\underset{㉡}{\underline{3\times4}}+\underset{㉣}{\underline{3\times4}}+\underset{㉢}{\underline{2\times4}}+\underset{㉤}{\underline{2\times4}}$

$=52\,(\text{cm}^2)$

방법2 (합동인 세 면의 넓이의 합)$\times2=\underline{(3\times2+3\times4+2\times4)}\times2$ → ㉠+㉡+㉢

$=52\,(\text{cm}^2)$

방법3 (한 밑면의 넓이)$\times2+$(4개의 옆면의 넓이의 합)$=3\times2\times2+(3+2+3+2)\times4$

$=52\,(\text{cm}^2)$

**예제** (직육면체의 겉넓이)=(여섯 면의 넓이의 ❶ ☐)

(직육면체의 겉넓이)=(합동인 세 면의 넓이의 합)× ❷ ☐

(직육면체의 겉넓이)=(한 밑면의 넓이)× ❸ ☐ +(4개의 옆면의 넓이의 합)

[답] ❶ 합 ❷ 2 ❸ 2

## 핵심 체크

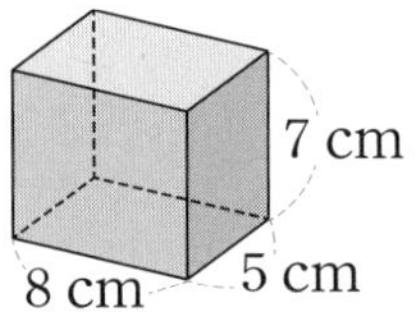


보기
㉠ $40+40+56+56+35+35$
㉡ $(8\times5+8\times7+5\times7)\times2$

**1** 직육면체의 겉넓이를 여섯 면의 넓이의 합으로 구하는 식 ➡ ( ㉠ , ㉡ )

**2** 직육면체의 겉넓이를 합동인 세 면의 넓이의 합의 2배를 하여 구하는 식 ➡ ( ㉠ , ㉡ )

# 28 정육면체의 겉넓이 구하기

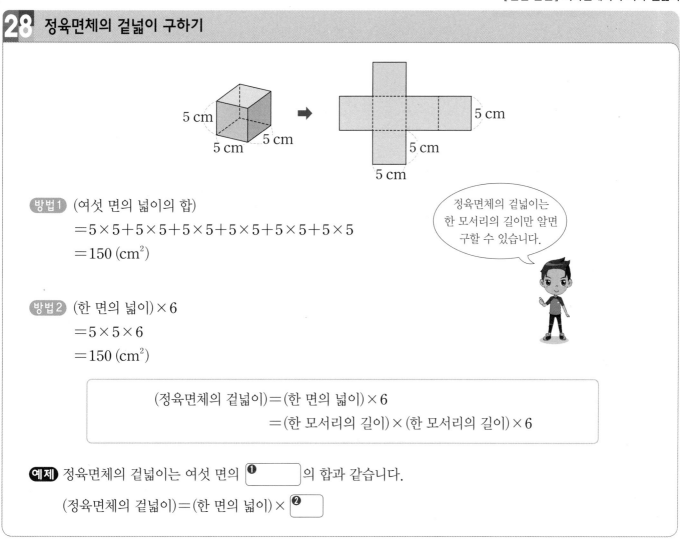

방법1 (여섯 면의 넓이의 합)
$$=5\times5+5\times5+5\times5+5\times5+5\times5+5\times5$$
$$=150\,(\text{cm}^2)$$

정육면체의 겉넓이는 한 모서리의 길이만 알면 구할 수 있습니다.

방법2 (한 면의 넓이)×6
$$=5\times5\times6$$
$$=150\,(\text{cm}^2)$$

(정육면체의 겉넓이)=(한 면의 넓이)×6
=(한 모서리의 길이)×(한 모서리의 길이)×6

예제 정육면체의 겉넓이는 여섯 면의 **❶**[　　　]의 합과 같습니다.

(정육면체의 겉넓이)=(한 면의 넓이)× **❷**[　　　]

[답] ❶ 넓이  ❷ 6

## 핵심체크

**1** 한 모서리의 길이가 6 cm인 정육면체의 겉넓이를 구하는 식은 ( 6×6 , 6×6×6 ) cm² 입니다.

**2** 한 면의 넓이가 6 cm²인 정육면체의 겉넓이를 구하는 식은 ( 6×6 , 6×6×6 ) cm² 입니다.

[01~06] 직육면체의 부피는 몇 cm³입니까?

**01**

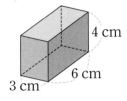

( )

**02**

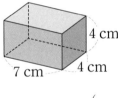

( )

**03**

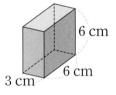

( )

**04**

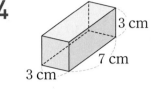

( )

**05**

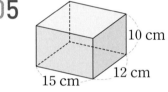

( )

**06**

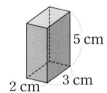

( )

[07~12] 직육면체의 겉넓이는 몇 cm²입니까?

**07**

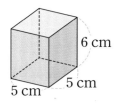

6 cm
5 cm  5 cm

(                    )

**10**

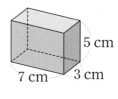

5 cm
7 cm  3 cm

(                    )

**08**

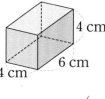

4 cm
4 cm  6 cm

(                    )

**11**

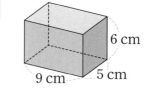

6 cm
9 cm  5 cm

(                    )

**09**

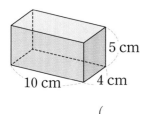

5 cm
10 cm  4 cm

(                    )

**12**

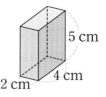

5 cm
2 cm  4 cm

(                    )

**2쪽**

1 $5 \times \frac{1}{8}$에 ○표    2 $\frac{6}{20}$에 ○표

**3쪽**

1 $\frac{8 \div 2}{9}$에 ○표    2 $\frac{20 \div 4}{24}$에 ○표

**4쪽**

1 $\frac{1}{4} \times \frac{1}{4}$에 ○표    2 $\frac{7}{3} \times \frac{1}{3}$에 ○표

**5쪽**

1 $\frac{8 \div 4}{3}$에 ○표    2 $\frac{9}{2} \times \frac{1}{7}$에 ○표

**6쪽**

01 $\frac{1}{6}$    05 $\frac{2}{13}\left(=\frac{8}{52}\right)$

02 $\frac{3}{4}$    06 $\frac{2}{9}\left(=\frac{8}{36}\right)$

03 $1\frac{1}{7}\left(=\frac{8}{7}\right)$    07 $\frac{3}{10}\left(=\frac{9}{30}\right)$

04 $1\frac{5}{8}\left(=\frac{13}{8}\right)$    08 $\frac{1}{12}\left(=\frac{5}{60}\right)$

**7쪽**

09 $\frac{4}{63}$    13 $\frac{2}{3}\left(=\frac{8}{12}\right)$

10 $\frac{7}{48}$    14 $\frac{2}{3}\left(=\frac{14}{21}\right)$

11 $\frac{8}{27}$    15 $\frac{2}{5}\left(=\frac{6}{15}\right)$

12 $\frac{5}{28}$    16 $\frac{3}{11}\left(=\frac{24}{88}\right)$

**8쪽**

17 $\frac{5}{8}$    21 $\frac{3}{5}\left(=\frac{12}{20}\right)$

18 $\frac{11}{48}$    22 $\frac{5}{7}\left(=\frac{30}{42}\right)$

19 $\frac{7}{30}$    23 $\frac{2}{3}\left(=\frac{14}{21}\right)$

20 $\frac{11}{90}$    24 $\frac{3}{4}\left(=\frac{15}{20}\right)$

**9쪽**

25 $\frac{5}{12}$    29 $\frac{3}{5}\left(=\frac{21}{35}\right)$

26 $\frac{7}{32}$    30 $\frac{27}{40}$

27 $\frac{26}{45}$    31 $\frac{7}{8}\left(=\frac{21}{24}\right)$

28 $\frac{4}{9}$    32 $\frac{19}{54}$

**10쪽**

1 밑면에 ○표    2 옆면에 ○표

**11쪽**

1 밑면에 ○표    2 옆면에 ○표

**12쪽**

1 높이에 ○표    2 높이에 ○표

**13쪽**

1 전개도에 ○표    2 점선에 ○표

**14쪽**

01 ○    04 7개, 15개, 10개

02 △    05 8개, 18개, 12개

03 ×    06 10개, 24개, 16개

## 15쪽

07 6개, 10개, 6개

08 7개, 12개, 7개

09 9개, 16개, 9개

10 삼각기둥

11 사각기둥

12 오각기둥

## 16쪽

1 2.1에 ○표

2 3.11에 ○표

## 17쪽

1 0.5에 ○표

2 0에 ○표, 0.8에 ○표

## 18쪽

1 $\dfrac{920 \div 8}{100}$에 ○표

2 4.35에 ○표

## 19쪽

1 $\dfrac{9 \times 2}{5 \times 2}$에 ○표

2 1.6에 ○표

## 20쪽

01 2.4

02 4.2

03 3.1

04 2.1

05 2.2

06 3.3

07 4.2

08 3.8

## 21쪽

09 1.83

10 17.3

11 17.5

12 16.3

13 0.83

14 0.42

15 0.18

16 0.83

## 22쪽

17 1.35

18 1.36

19 1.15

20 2.45

21 3.08

22 1.07

23 4.05

24 7.02

## 23쪽

25 0.26

26 2.04

27 1.35

28 0.83

29 2.75

30 0.75

31 1.2

32 1.25

## 24쪽

1 3과 8의 비에 ○표

2 9:10에 ○표

## 25쪽

1 $\dfrac{3}{2}$에 ○표

2 5, 7

## 26쪽

1 100에 ○표

2 0.5×100에 ○표

## 27쪽

1 $\dfrac{73}{100}$에 ○표

2 0.7에 ○표

## 28쪽

1 $\dfrac{14}{9}$에 ○표

2 $\dfrac{11}{25}$에 ○표

## 29쪽

1 20

2 15

## 30쪽

01 2, 3 / 2, 3

02 3, 8 / 8, 3

03 7, 9 / 9, 7

04 13, 15 / 13, 15

05 $\dfrac{7}{4}\left(=1\dfrac{3}{4}\right)$, 1.75

06 $\dfrac{13}{25}$, 0.52

07 $\dfrac{19}{20}$, 0.95

08 $\dfrac{31}{50}$, 0.62

**31쪽**

09 75 %

10 5 %

11 74 %

12 36 %

13 $\frac{47}{100}$, 0.47

14 $\frac{3}{100}$, 0.03

15 $\frac{69}{100}$, 0.69

16 $\frac{51}{100}$, 0.51

**32쪽**

1 그림그래프에 ○표    2 라에 ○표

**33쪽**

1 띠그래프에 ○표    2 피자에 ○표

**34쪽**

1 원그래프에 ○표    2 25에 ○표

**35쪽**

1 100에 ○표    2 100에 ○표

**36쪽**

01 350상자

02 270상자

03 다 양계장

04 35, 10, 5

05 100 %

06      수질 오염 발생 원인

**37쪽**

07 30, 25, 15

08 100 %

09      일주일 동안 발생한 재활용품

10 짜장면

11 2배

**38쪽**

1 같은에 ○표    2 큽니다에 ○표

**39쪽**

1 1 cm³에 ○표    2 1 m³에 ○표

**40쪽**

1 2, 3    2 7, 4

**41쪽**

1 3, 3    2 7, 7

**42쪽**

1 ㉠에 ○표    2 ㉡에 ○표

**43쪽**

1 6×6×6에 ○표    2 6×6에 ○표

**44쪽**

01 72 cm³

02 112 cm³

03 108 cm³

04 63 cm³

05 1800 cm³

06 30 cm³

**45쪽**

07 170 cm²

08 128 cm²

09 220 cm²

10 142 cm²

11 258 cm²

12 76 cm²

최고를 위한 교재는 다르다

# 최고수준
## 수학

최고를 위한 심화 학습 교재
최고수준 수학!
(중 1~3 / 학기별)

핵심개념
유형연습
탄탄하게!

수학
전략

**수학 내신 만점 개념·문제 기본서**

개념부터 유형까지 완벽하게 쭉—

# 체크체크 수학
## 시리즈

### 체크체크 베이직 수학

체크체크 수학보다 쉽고 친절한 설명과
개념을 짧게 끊어 구성하여
부담 없는 수학 기초 개념서!

### 체크체크 수학

쉬운 개념 반복 연습부터
교과서 창의&융합 문제까지!
베스트셀러 중학 수학 개념 기본서

### 유형체크 N제

시험 대비에 최적화된 기출 유형 수록!
체크체크 수학과 연계하여
실력을 향상시킬 수 있도록 한 유형서

  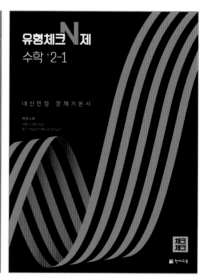

체크체크 베이직으로 기초 다지고! 체크체크로 개념 끝내고! 유형체크로 유형 클리어!

(중등 1~3학년 / 학기별)

# 꿈을 위한 동행

축구 선수, 래퍼, 선생님, 요리사, …
배움을 통해 아이들은 꿈을 꿉니다.

학교에서 공부하고, 뛰어놀고 싶은 마음을
잠시 미뤄 둔 친구들이 있습니다.
어린이 병동에 입원해 있는 아이들.

이 아이들도 똑같이 공부하고
맘껏 꿈 꿀 수 있어야 합니다.
천재교육 학습봉사단은
직접 병원으로 찾아가
같이 공부하고 얘기를 나눕니다.

함께 하는 시간이
아이들이 꿈을 키우는 밑바탕이 되길 바라며
천재교육은 앞으로도
나눔을 실천하며 세상과 소통하겠습니다.

천재교육

초등생의 필수 학습!
탄탄하게 다져투자!

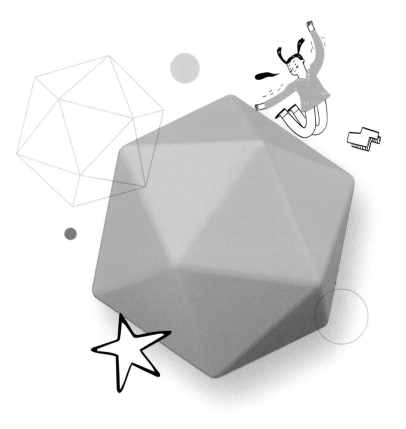

수학
전략

정답 및 풀이

초등 **수학**

**6·1**

천재교육

모르는 문제는
확실하게
알고 가자!

# 정답및 풀이

초등 수학 **6·1**

# 정답 및 풀이

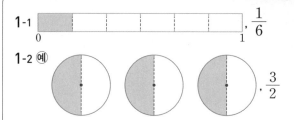

**1-1** $\dfrac{1}{6}$

0      1

**1-2** 예    $\dfrac{3}{2}$

**2-1** 9, 3             **2-2** 10, 10, 2

**3-1** 4, $\dfrac{1}{4}$, $\dfrac{1}{4}$, $\dfrac{1}{4}$, $\dfrac{5}{24}$     **3-2** 3, 2, $\dfrac{1}{2}$, $\dfrac{3}{4}$

**4-1** $\dfrac{3735}{100} \div 5 = \dfrac{3735 \div 5}{100} = \dfrac{747}{100} = 7.47$

**4-2** $\dfrac{915}{100}$, 915, 3, 305, 3.05

**5-1** 0.35

**5-2** (위부터) $\dfrac{1}{100}$, 28, 0.28, $\dfrac{1}{100}$

**6-1** 1.5             **6-2** 1.125

---

**1-2** $\dfrac{1}{2}$이 3개이므로 $\dfrac{3}{2}=1\dfrac{1}{2}$입니다.

**2-2** $\dfrac{2}{3}$와 크기가 같은 분수 중에서 분자가 자연수 5의 배수인 것은

$$\dfrac{2}{3}=\dfrac{4}{6}=\dfrac{6}{9}=\dfrac{8}{12}=\dfrac{10}{15}\cdots\cdots\text{입니다.}$$

$\dfrac{10}{15}$의 분자 10을 자연수 5로 나누어 계산합니다.

**3-2** 대분수를 가분수로 바꾸고 ÷2를 $\times\dfrac{1}{2}$로 나타내어 계산합니다.

**4-2** 9.15를 분모가 100인 분수로 바꾸고 분자를 3으로 나눕니다.

**5-2** 1.12는 112의 $\dfrac{1}{100}$배이므로 1.12÷4의 몫은 28의 $\dfrac{1}{100}$배인 0.28입니다.

---

**6-1**

$$4\overline{)6.0}$$

     1.5

→ 6 아래에 소수점을 찍고 0을 내려서 계산합니다.

$$\begin{array}{r} 1.5 \\ 4\,\overline{)\,6.0} \\ \underline{4\phantom{.0}} \\ 2\,0 \\ \underline{2\,0} \\ 0 \end{array}$$

**6-2**

$$\begin{array}{r} 1.1\,2\,5 \\ 8\,\overline{)\,9.0\,0\,0} \\ \underline{8\phantom{.000}} \\ 1\,0 \\ \underline{8\phantom{0}} \\ 2\,0 \\ \underline{1\,6} \\ 4\,0 \\ \underline{4\,0} \\ 0 \end{array}$$

→ 9 아래에 소수점을 찍고 0을 내려서 계산합니다.

**주의**

나머지가 0이 될 때까지 소수점 뒤에 0을 내려서 계산합니다.

---

**1** (1) $1\dfrac{2}{3}\left(=\dfrac{5}{3}\right)$     (2) $1\dfrac{3}{4}\left(=\dfrac{7}{4}\right)$

     (3) $3\dfrac{1}{3}\left(=\dfrac{10}{3}\right)$     (4) $1\dfrac{5}{7}\left(=\dfrac{12}{7}\right)$

**2** $\dfrac{3}{16}$, $\dfrac{1}{10}\left(=\dfrac{2}{20}\right)$     **3** (선 잇기)

**4** 21.3, 2.13        **5**

$$\begin{array}{r} 1.0\,1\,5 \\ 8\,\overline{)\,8.1\,2\,0} \\ \underline{8\phantom{.120}} \\ 1\,2 \\ \underline{8\phantom{0}} \\ 4\,0 \\ \underline{4\,0} \\ 0 \end{array}$$

**6** (1) 25÷5    (2) 20÷4

**1**

(1) $5 \div 3 = \dfrac{5}{3} = 1\dfrac{2}{3}$

(2) $7 \div 4 = \dfrac{7}{4} = 1\dfrac{3}{4}$

(3) $10 \div 3 = \dfrac{10}{3} = 3\dfrac{1}{3}$

(4) $12 \div 7 = \dfrac{12}{7} = 1\dfrac{5}{7}$

**2**

$\dfrac{3}{4} \div 4 = \dfrac{12}{16} \div 4 = \dfrac{12 \div 4}{16} = \dfrac{3}{16}$

$\dfrac{2}{5} \div 4 = \dfrac{4}{10} \div 4 = \dfrac{4 \div 4}{10} = \dfrac{1}{10}$

**3**

$\dfrac{6}{5} \div 5$ ➡ $\div 5$를 $\times \dfrac{1}{5}$로 바꾸어 계산합니다.

$\dfrac{6}{5} \div 5 = \dfrac{6}{5} \times \dfrac{1}{5} = \dfrac{6}{25}$

$\dfrac{3}{8} \div 2$ ➡ $\div 2$를 $\times \dfrac{1}{2}$로 바꾸어 계산합니다.

$\dfrac{3}{8} \div 2 = \dfrac{3}{8} \times \dfrac{1}{2} = \dfrac{3}{16}$

$\dfrac{4}{3} \div 5$ ➡ $\div 5$를 $\times \dfrac{1}{5}$로 바꾸어 계산합니다.

$\dfrac{4}{3} \div 5 = \dfrac{4}{3} \times \dfrac{1}{5} = \dfrac{4}{15}$

**4** 63.9는 639의 $\dfrac{1}{10}$배이므로 몫도 213의 $\dfrac{1}{10}$배인 21.3이 됩니다.

6.39는 639의 $\dfrac{1}{100}$배이므로 몫도 213의 $\dfrac{1}{100}$배인 2.13이 됩니다.

**5** 소수 첫째 자리에 0을 써넣지 않았고 8.12 뒤에 0을 내려 계산하지 않았습니다.

**6**
(1) 25.1을 반올림하여 일의 자리까지 나타내면 25입니다.
(2) 19.84를 반올림하여 일의 자리까지 나타내면 20입니다.

**1주 02일**

**필수 체크 전략 ❶** 14~17쪽

필수 예제 01 >

확인 1-1 < 　　　 확인 1-2 >

필수 예제 02 4, 4, 4, $\dfrac{1}{3}\left(=\dfrac{4}{12}\right)$

확인 2-1 $\dfrac{8}{45}$ m

확인 2-2 $1\dfrac{17}{24}$ cm $\left(=\dfrac{41}{24}$ cm$\right)$

필수 예제 03 <

확인 3-1 ㉡ 　　　 확인 3-2 ㉠

필수 예제 04 (위부터) 422, $\dfrac{1}{100}$, 12.66, 4.22

확인 4-1 (위부터) 1245, $\dfrac{1}{100}$, 37.35, 12.45

확인 4-2 (위부터) 25, $\dfrac{1}{100}$, 2, 0.25

확인 1-1 $9 \div 4 = \dfrac{9}{4} = 2\dfrac{1}{4}\left(=2\dfrac{3}{12}\right)$,

$8 \div 3 = \dfrac{8}{3} = 2\dfrac{2}{3}\left(=2\dfrac{8}{12}\right)$

➡ $9 \div 4 < 8 \div 3$

확인 1-2 $4\dfrac{1}{5} \div 3 = \dfrac{21}{5} \div 3 = \dfrac{7}{5} = 1\dfrac{2}{5}$

$\dfrac{11}{9} \div 5 = \dfrac{11}{9} \times \dfrac{1}{5} = \dfrac{11}{45}$

**다른 풀이**

$4\dfrac{1}{5} > 3$이므로 $4\dfrac{1}{5} \div 3$의 몫은 1보다 크고,

$\dfrac{11}{9} < 5$이므로 $\dfrac{11}{9} \div 5$의 몫은 1보다 작습니다. ➡ $4\dfrac{1}{5} \div 3 > \dfrac{11}{9} \div 5$

확인 2-1 정오각형은 다섯 변의 길이가 모두 같으므로 한 변의 길이는

$\dfrac{8}{9} \div 5 = \dfrac{8}{9} \times \dfrac{1}{5} = \dfrac{8}{45}$ (m)입니다.

**확인 2-2** 정육각형은 여섯 변의 길이가 모두 같으므로 한 변의 길이는

$$10\frac{1}{4} \div 6 = \frac{41}{4} \times \frac{1}{6} = \frac{41}{24} = 1\frac{17}{24} \text{ (cm)}$$

**확인 3-1** ㉠
```
      1.8 5
   4)7.4 0
     4
     3 4
     3 2
       2 0
       2 0
         0
```
㉡
```
        2.0 5
   8)1 6.4 0
     1 6
         4 0
         4 0
           0
```

➡ 1.85 < 2.05

**다른 풀이**

7.4÷4의 몫은 8÷4=2보다 작습니다.
16.4÷8의 몫은 16÷8=2보다 큽니다.
따라서 ㉡의 몫이 더 큽니다.

**확인 3-2** ㉠
```
         1.2 6
   8)1 0.0 8
     8
     2 0
     1 6
       4 8
       4 8
         0
```
㉡
```
          1.7 6
   16)2 8.1 6
      1 6
      1 2 1
      1 1 2
          9 6
          9 6
            0
```

➡ 1.26 < 1.76

**확인 4-1** 3735÷3=1245이고 나누어지는 수를 $\frac{1}{100}$배 했으므로 몫도 $\frac{1}{100}$배 하면 37.35÷3=12.45입니다.

**확인 4-2** 200÷8=25이고 나누어지는 수를 $\frac{1}{100}$배 했으므로 몫도 $\frac{1}{100}$배 하면 2÷8=0.25입니다.

---

**필수 체크 전략 ❷**  18~19쪽

1  48개  　　　2  $\frac{12}{25}$ kg

3  $11\frac{13}{16}$ cm² $\left(=\frac{189}{16}$ cm²$\right)$

4  ㉠, ㉢, ㉡  　　　5  2.5, 0.32

6
| | | |
|---|---|---|
| (1.32÷2) | 3.33÷3 | 7.35÷5 |
| 2.25÷2 | (1.32÷3) | 5.25÷5 |
| 3.21÷2 | 5.28÷3 | (4.15÷5) |

1  $12\frac{1}{4} \div 5 = \frac{49}{4} \times \frac{1}{5} = \frac{49}{20}$

$\frac{49}{20} > \frac{\square}{20}$ 이므로 □ 안에 1부터 48까지 48개의 자연수가 들어갈 수 있습니다.

2  배가 놓여 있는 쟁반의 전체 무게에서 빈 쟁반의 무게를 빼면

$2\frac{4}{5} - \frac{2}{5} = 2\frac{2}{5}$ (kg)입니다.

배 5개의 무게가 $2\frac{2}{5}$ kg이므로 배 한 개의 무게는 $2\frac{2}{5} \div 5 = \frac{12}{5} \times \frac{1}{5} = \frac{12}{25}$ (kg)입니다.

3  (삼각형의 넓이)
= (밑변의 길이) × (높이) ÷ 2
= $6\frac{3}{4} \times 3\frac{1}{2} \div 2 = \frac{27}{4} \times \frac{7}{2} \div 2$
= $\frac{27}{4} \times \frac{7}{2} \times \frac{1}{2} = \frac{189}{16} = 11\frac{13}{16}$ (cm²)

4  ㉠
```
          3.0 8
   14)4 3.1 2
      4 2
      1 1 2
      1 1 2
          0
```
㉡
```
        0.5 2
   7)3.6 4
     3 5
       1 4
       1 4
         0
```
㉢
```
          2.2
   5)1 1.0
     1 0
       1 0
       1 0
         0
```

**다른 풀이**

㉠ 43.12÷14의 몫은 42÷14=3이므로 3보다 큽니다.

㉡ 3.64÷7의 몫은 1보다 작습니다.

㉢ 11÷5의 몫은 2보다 크고 3보다 작습니다.

➡ ㉠＞㉢＞㉡

**5**

$$
\begin{array}{r}
2.5 \\
20\overline{)5\,0.0} \\
4\,0 \\
\hline
1\,0\,0 \\
1\,0\,0 \\
\hline
0
\end{array}
\qquad
\begin{array}{r}
0.3\,2 \\
25\overline{)8.0\,0} \\
7\,5 \\
\hline
5\,0 \\
5\,0 \\
\hline
0
\end{array}
$$

**6** 나누어지는 수와 나누는 수의 크기를 비교하면 몫이 1보다 큰지 작은지 어림할 수 있습니다.

나누어지는 수가 나누는 수보다 크면 몫이 1보다 크며, 나누어지는 수가 나누는 수보다 작으면 몫이 1보다 작습니다.

**참고**

나누어지는 수가 나누는 수와 같으면 몫은 1입니다.

넌 최고로 잘하고 있어.

---

**1주 03일**

**필수 체크 전략 ❶** **20~23쪽**

필수 예제 **01** 1, 2, 3

확인 **1-1** 6개　　　　확인 **1-2** 4

필수 예제 **02** $\dfrac{41}{105}$ L

확인 **2-1** $1\dfrac{3}{7}$ kg$\left(=\dfrac{10}{7}\text{ kg}\right)$

확인 **2-2** $\dfrac{31}{60}$ m

필수 예제 **03** (1) 6, 6, 1　(2) 0.□9□2

확인 **3-1** 예 61, 3, 20, 2□0.□4

확인 **3-2** 예 13, 4, 3, 3.□3□5

필수 예제 **04** 0, 2, 5, 0.04

확인 **4-1** 9, 2, 4.5　　확인 **4-2** 2, 4, 8, 0.3

**확인 1-1** $20÷3=\dfrac{20}{3}=6\dfrac{2}{3}$

$6\dfrac{2}{3}>□$이므로 □ 안에 들어갈 수 있는 자연수는 1, 2, 3, 4, 5, 6입니다. ➡ 6개

**왜틀렸을까?**

$6\dfrac{2}{3}$는 6보다 큰 수이므로 □ 안에 들어갈 수 있는 수에 6도 포함됩니다.

0은 자연수가 아니므로 답에 포함되지 않습니다.

**확인 1-2** $6\dfrac{1}{2}÷2=\dfrac{13}{2}×\dfrac{1}{2}=\dfrac{13}{4}=3\dfrac{1}{4}$

$3\dfrac{1}{4}<□$이므로 □ 안에 들어갈 수 있는 자연수는 4, 5, 6……입니다.

따라서 가장 작은 수는 4입니다.

**확인 2-1** 쌀과 보리의 무게의 합: 8＋2=10 (kg)

➡ $10÷7=\dfrac{10}{7}=1\dfrac{3}{7}$ (kg)

**다른 풀이**

하루에 쌀 $\frac{8}{7}$ kg, 보리 $\frac{2}{7}$ kg을 먹었습니다.

➡ $\frac{8}{7}+\frac{2}{7}=\frac{10}{7}=1\frac{3}{7}$ (kg)

**확인 2-2** 두 사람이 가지고 있는 끈의 길이의 합:

$\frac{4}{5}+\frac{3}{4}=\frac{16}{20}+\frac{15}{20}=\frac{31}{20}$ (m)

➡ $\frac{31}{20}÷3=\frac{31}{20}×\frac{1}{3}=\frac{31}{60}$ (m)

**확인 3-1** 61.2를 반올림하여 일의 자리까지 나타내면 61입니다.

61÷3의 몫은 약 20이므로 20.4입니다.

**확인 3-2** 13÷4의 몫은 3보다 크고 4보다 작습니다.

➡ 3.35

**확인 4-1** 나누어지는 수를 가장 큰 수인 9로 하고, 나누는 수를 가장 작은 수인 2로 하여 계산합니다.

➡ 9÷2=4.5

**확인 4-2** 나누어지는 수가 가장 작아야 하므로 가장 작은 수 2와 4를 이용하여 소수 한 자리 수 2.4를 만듭니다.

나누는 수를 가장 큰 수인 8로 하여 계산합니다.

➡ 2.4÷8=0.3

---

**필수 체크 전략 ❷** **24~25쪽**

1 혜린이네 모둠    2 $9\frac{6}{7}$, 4, $2\frac{13}{28}\left(=\frac{69}{28}\right)$

3 $\frac{8}{75}$    4 10.05 m

5 준서네 가게, 0.02 kg    6 32, 12, 1, 12

---

1 혜린: 16 m²에 세 가지를 똑같은 넓이로 심으므로

$16÷3=\frac{16}{3}=5\frac{1}{3}$ (m²)

소현: 17 m²에 네 가지를 똑같은 넓이로 심으므로

$17÷4=\frac{17}{4}=4\frac{1}{4}$ (m²)

따라서 혜린이네 모둠이 더 넓습니다.

2 가장 큰 수를 대분수의 자연수 부분에 놓고, 가장 작은 수를 나누는 수에 놓습니다.

➡ $9\frac{6}{7}÷4=\frac{69}{7}×\frac{1}{4}=\frac{69}{28}=2\frac{13}{28}$

3 (어떤 수)×5=$\frac{8}{3}$,

(어떤 수)=$\frac{8}{3}÷5=\frac{8}{15}$

➡ $\frac{8}{15}÷5=\frac{8}{75}$

4 가로등 7개를 같은 간격으로 세우기 위해서는 60.3 m를 7등분이 아닌 6등분 해야 합니다.

➡ 60.3÷6=10.05 (m)

5 슬기네 가게의 오렌지 한 개 평균 무게:
2.07÷9=0.23 (kg)

준서네 가게의 오렌지 한 개 평균 무게:
2÷8=0.25 (kg)

따라서 준서네 가게의 오렌지 한 개가
0.25−0.23=0.02 (kg) 더 무겁다고 할 수 있습니다.

**참고**

(평균)=(자료의 값을 모두 더한 수)÷(자료의 수)

6 
$$4\overline{)1.\boxed{㉠}}$$
몫: 0.33

㉣=4×3=12,
㉢2−12=0이므로
㉢=1,
㉡=4×3=12,
1㉠−120=12이므로
㉠=32

대표 **예제 01** $2\dfrac{2}{5}\left(=\dfrac{12}{5}\right)$

대표 **예제 02** $\dfrac{3}{8}\div3=\dfrac{1}{8}\left(=\dfrac{3}{24}\right)$, $\dfrac{1}{8}$ m$\left(=\dfrac{3}{24}$ m$\right)$

대표 **예제 03** ⑩ $\dfrac{5}{6}\div3=\dfrac{15}{18}\div3=\dfrac{15\div3}{18}=\dfrac{5}{18}$

대표 **예제 04** $\dfrac{1}{20}$ 　　대표 **예제 05** $\dfrac{7}{45}$

대표 **예제 06** $\dfrac{5}{24}$ 　　대표 **예제 07** ④, ⑤

대표 **예제 08** $1\dfrac{5}{8}$ cm$\left(=\dfrac{13}{8}$ cm$\right)$

대표 **예제 09** $4.08$ L

대표 **예제 10** $2.05$

대표 **예제 11**

> $5.26\div2=263$
> $5.26\div2=26.3$
> $\boxed{5.26\div2=2.63}$
> $5.26\div2=0.263$

대표 **예제 12** 2, 1, 3 　　대표 **예제 13** 8

대표 **예제 14** $5.25$ cm$^2$ 　대표 **예제 15** $4.02$

대표 **예제 16** $0.15$ kg

---

대표 **예제 01** 가장 큰 수: 12, 가장 작은 수: 5

➡ $12\div5=\dfrac{12}{5}=2\dfrac{2}{5}$

대표 **예제 02** 끈의 길이를 변의 수로 나눕니다.

➡ $\dfrac{3}{8}\div3=\dfrac{3\div3}{8}=\dfrac{1}{8}$ (m)

대표 **예제 03** 나누는 수 3을 분자에 나누어야 합니다.

따라서 $\dfrac{5}{6}$의 분자가 3으로 나누어지도

록 $\dfrac{15}{18}$로 바꿔서 계산합니다.

$\dfrac{5}{6}=\dfrac{10}{12}=\dfrac{\boxed{15}}{18}\cdots\cdots$→3의 배수

대표 **예제 04** ㉠ $2\dfrac{1}{5}\div4=\dfrac{11}{5}\times\dfrac{1}{4}=\dfrac{11}{20}$

㉡ $1\dfrac{1}{2}\div3=\dfrac{\overset{1}{\cancel{3}}}{2}\times\dfrac{1}{\underset{1}{\cancel{3}}}=\dfrac{1}{2}=\dfrac{10}{20}$

➡ $\dfrac{11}{20}-\dfrac{10}{20}=\dfrac{1}{20}$

대표 **예제 05** (어떤 수)$=\dfrac{7}{9}\div5=\dfrac{7}{9}\times\dfrac{1}{5}=\dfrac{7}{45}$

대표 **예제 06** 가분수: $\dfrac{5}{4}$, 자연수: 6

➡ $\dfrac{5}{4}\div6=\dfrac{5}{4}\times\dfrac{1}{6}=\dfrac{5}{24}$

대표 **예제 07** 나누어지는 수와 나누는 수의 크기를
비교합니다.

① $1<9$　② $4<5$　③ $3<7$
④ $6>5$　⑤ $7>4$
따라서 몫이 1보다 큰 것은 ④, ⑤입니다.

대표 **예제 08** $6\dfrac{1}{2}\div4=\dfrac{13}{2}\times\dfrac{1}{4}=\dfrac{13}{8}=1\dfrac{5}{8}$ (cm)

대표 **예제 09** $20.4\div5=4.08$ (L)

대표 **예제 10**

$$\begin{array}{r}2.05\\6\overline{\smash{)}12.30}\\\underline{12}\phantom{.30}\\30\\\underline{30}\\0\end{array}$$

대표 **예제 11** $5\div2$의 몫은 2와 3 사이입니다.
따라서 $5.26\div2=2.63$이 올바른 식입
니다.

대표 **예제 12** $35.7\div17=2.1$, $1.88\div4=0.47$,
$8.7\div2=4.35$
➡ $0.47<2.1<4.35$

대표 **예제 13** $43 \div 5 = 8.6$

□는 8.6보다 작은 자연수이므로 8, 7, 6, 5, 4, 3, 2, 1입니다.

따라서 가장 큰 수는 8입니다.

대표 **예제 14**

$$
\begin{array}{r}
5.25 \\
6\,)\,3\,1.5\,0 \\
\underline{3\,0} \\
1\,5 \\
\underline{1\,2} \\
3\,0 \\
\underline{3\,0} \\
0
\end{array}
$$

대표 **예제 15**

$$
\begin{array}{r}
0.97 \\
8\,)\,7.7\,6 \\
\underline{7\,2} \\
5\,6 \\
\underline{5\,6} \\
0
\end{array}
\qquad
\begin{array}{r}
3.05 \\
5\,)\,1\,5.2\,5 \\
\underline{1\,5} \\
2\,5 \\
\underline{2\,5} \\
0
\end{array}
$$

➡ $0.97 + 3.05 = 4.02$

대표 **예제 16** 귤 한 봉지의 무게: $3 \div 4 = 0.75$ (kg)

귤 한 개의 무게: $0.75 \div 5 = 0.15$ (kg)

**다른 풀이**

귤이 한 봉지에 5개씩 4봉지이므로 모두 $5 \times 4 = 20$(개)입니다.

전체 무게가 3 kg이므로 귤 한 개의 무게는 $3 \div 20 = 0.15$ (kg)입니다.

---

**교과서 대표 전략 ❷** | **30~31쪽**

| | |
|---|---|
| **1** $\dfrac{15}{22}$ L | **2** $1\dfrac{2}{3}$, 4, $\dfrac{5}{12}$ |
| **3** 1, 2 | **4** $\dfrac{1}{10}$ m $\left(=\dfrac{3}{30}\text{ m}\right)$ |
| **5** 2.07배 | **6** 형서네 가게 |
| **7** 0.8 kg | **8** 0.35 |

---

**1** 전체 우유의 양: $\dfrac{3}{2} \times 5 = \dfrac{15}{2}$ (L)

➡ $\dfrac{15}{2} \div 11 = \dfrac{15}{2} \times \dfrac{1}{11} = \dfrac{15}{22}$ (L)

**2** 계산 결과가 가장 작으려면 나누어지는 수가 가장 작아야 하므로 대분수의 자연수 부분에 가장 작은 1을 놓습니다.

나누는 수는 가장 커야 하므로 4가 됩니다.

**3** $2\dfrac{3}{4} \div 5 = \dfrac{11}{20}$, $\dfrac{\blacksquare}{5} = \dfrac{\blacksquare \times 4}{20}$

$\dfrac{11}{20} > \dfrac{\blacksquare \times 4}{20}$에서 $11 > \blacksquare \times 4$이므로

$\blacksquare = 1$, 2가 될 수 있습니다.

**4** 정오각형 한 개를 만드는 데 사용한 철사의 길이:

$1\dfrac{1}{2} \div 3 = \dfrac{3}{2} \div 3 = \dfrac{1}{2}$ (m)

➡ $\dfrac{1}{2} \div 5 = \dfrac{1}{2} \times \dfrac{1}{5} = \dfrac{1}{10}$ (m)

**5** 밑변이 3 cm로 같으므로 원준이가 그린 삼각형의 넓이는 연서가 그린 삼각형의 넓이의 $6.21 \div 3 = 2.07$(배)입니다.

**참고**

연서: $3 \times 3 \div 2 = \boxed{\phantom{00}}$

$\quad$ 2.07배 $\qquad$ 2.07배

원준: $3 \times 6.21 \div 2 = \boxed{\phantom{00}}$

**6** 형서네 가게: $2.12 \div 4 = 0.53$ (kg)

신우네 가게: $2.94 \div 6 = 0.49$ (kg)

따라서 형서네 가게의 복숭아 한 개가 더 무겁다고 할 수 있습니다.

**7** 만 원으로 살 수 있는 돼지고기의 무게:

$2 \div 5 = 0.4$ (kg)

➡ $0.4 \times 2 = 0.8$ (kg)

**8** $\bigstar \times 4 = 4.2$, $\bigstar = 4.2 \div 4 = 1.05$

$1.05 \div 3 = 0.35$이므로 $\heartsuit = 0.35$입니다.

**01** (1) $\dfrac{7}{11}$   (2) $1\dfrac{7}{13}\left(=\dfrac{20}{13}\right)$

**02** $\dfrac{1}{14}\left(=\dfrac{2}{28}\right)$      **03** $\dfrac{9}{40}$

**04** $4\dfrac{2}{5}\div3=1\dfrac{7}{15}$, $1\dfrac{7}{15}\,\mathrm{m}^2\left(=\dfrac{22}{15}\,\mathrm{m}^2\right)$

**05** 간장      **06** (1) 12.39   (2) 0.83

**07** (왼쪽부터) 123, 12.3, 1.23, $\dfrac{1}{10}$, $\dfrac{1}{100}$

**08** 0.34

**09**
$$5.4\div5=108$$
$$5.4\div5=10.8$$
$$\boxed{5.4\div5=1.08}$$
$$5.4\div5=0.108$$

**10** $0.09\,\mathrm{kg}$

**01** (1) $7\div11=\dfrac{7}{11}$

(2) $20\div13=\dfrac{20}{13}=1\dfrac{7}{13}$

**02** $\dfrac{2}{7}\div4=\dfrac{4}{14}\div4=\dfrac{4\div4}{14}=\dfrac{1}{14}$

**03** 가장 작은 수: $\dfrac{3}{4}\left(=\dfrac{15}{20}\right)$

두 번째로 작은 수: $\dfrac{9}{10}\left(=\dfrac{18}{20}\right)$

가장 큰 수: 4

$\Rightarrow \dfrac{9}{10}\div4=\dfrac{9}{10}\times\dfrac{1}{4}=\dfrac{9}{40}$

**05** 한 병에 들어가는 식초 양: $1\div3=\dfrac{1}{3}$ (L)

한 병에 들어가는 간장 양: $3\div5=\dfrac{3}{5}$ (L)

$\dfrac{1}{3}=\dfrac{5}{15}$, $\dfrac{3}{5}=\dfrac{9}{15}$이므로 $\dfrac{5}{15}<\dfrac{9}{15}$에서 간장이 더 많이 들어갑니다.

**06** (1)
```
      1 2.3 9
  2 ) 2 4.7 8
      2
      ───
      4
      4
      ───
        7
        6
      ───
        1 8
        1 8
      ─────
          0
```

(2)
```
      0.8 3
  5 ) 4.1 5
      4 0
      ───
        1 5
        1 5
      ─────
          0
```

**09** 5.4를 5로 어림하면 $5\div5=1$이므로 $5.4\div5$의 몫은 1에 가깝습니다. $\Rightarrow 5.4\div5=1.08$

**10** 감자 한 봉지의 무게: $9\div20=0.45$ (kg)

$\Rightarrow$ 감자 한 개의 무게: $0.45\div5=0.09$ (kg)

**1** $1\dfrac{4}{9}$배$\left(=\dfrac{13}{9}$배$\right)$      **2** 12.2 cm

**1** $1\dfrac{23}{27}\left(=\dfrac{50}{27}\right)$      **2** $1\dfrac{1}{3}\div3=\dfrac{4}{9}$, $\dfrac{4}{9}$

**3** $1\dfrac{5}{6}$분$\left(=\dfrac{11}{6}$분$\right)$

**4**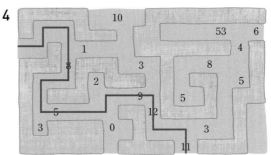

**5** 1.525배      **6** 0.9

**7** 7.25      **8** 5.04

**1** $50 \div 3 = \dfrac{50}{3} \Rightarrow \dfrac{50}{3} \div 3 = \dfrac{50}{9}$

$\Rightarrow \dfrac{50}{9} \div 3 = \dfrac{50}{27} = 1\dfrac{23}{27}$

**2**

| 일 | 과 | 오 | 삼 | 사 | 분 | 육 | 칠 |
|---|---|---|---|---|---|---|---|
| 분 | 의 | 나 | 일 | 누 | 곱 | 나 | 누 |
| 더 | 하 | 기 | 기 | 삼 | 은 | 영 | 칠 |

색칠한 부분과 같은 위치로 색칠하면 '일과 삼 분의 일 나누기 삼'이 나옵니다.

$\Rightarrow 1\dfrac{1}{3} \div 3 = \dfrac{4}{9}$

**3** $11 \div 6 = \dfrac{11}{6} = 1\dfrac{5}{6}$ (분)

**4** $1\dfrac{5}{7} \div 3 = \dfrac{12}{7} \div 3 = \dfrac{4}{7}$, $\dfrac{\square}{7} > \dfrac{4}{7}$이므로 $\square$는 4보다 큰 수입니다.

**5** $6.1 \div 4 = 1.525$(배)

**6** $14.4 \div 2 = 7.2 > 1$
$7.2 \div 2 = 3.6 > 1$
$3.6 \div 2 = 1.8 > 1$
$1.8 \div 2 = 0.9 < 1$
따라서 ⌒ 에 0.9를 씁니다.

**7** $(13 + 1.5) \div 2 = 14.5 \div 2 = 7.25$

**8** $5.1 \div 3 = 1.7$, $4.05 \div 5 = 0.81$이므로 상자에 넣은 공에 쓰인 소수를 자연수로 나눈 몫이 나오는 규칙입니다.
$\Rightarrow 15.12 \div 3 = 5.04$

---

**2주 여**

### 개념 돌파 전략❶ 개념 기초 확인　43, 45쪽

**1-1** 2, 5, 5, 2 　　　**1-2** 4, 6, 6, 4

**2-1** (1) $\dfrac{6}{7}$ 　(2) $\dfrac{8}{9}$

**2-2** (1) 2, 0.2 　(2) 15, 0.15

**3-1** 25, 25 　　　**3-2** 4, 4, 100, 50, 50

**4-1** 35 　　　　　**4-2** 16

**5-1** 가을 　　　　**5-2** 적은에 ○표

**6-1** 30 　　　　　**6-2** 25

**1-2** 사탕은 4개, 밤은 6개입니다.
(사탕 수) : (밤 수) = 4 : 6
(밤 수) : (사탕 수) = 6 : 4

**2-2** (1) 1 대 5는 1 : 5이고 비율로 나타내면
$\dfrac{1}{5} = \dfrac{2}{10} = 0.2$입니다.

**3-2** 기준량이 8이고 비교하는 양이 4이므로 비율은
$\dfrac{4}{8}$, 백분율은 $\dfrac{4}{8} \times 100 = 50$이므로 50 %입니다.

**4-2** 🏢 1개, 🏠 6개이므로 16곳입니다.

참고
나: 🏢 1개 🏠 3개 ➡ 13곳
다: 🏢 1개 🏠 2개 ➡ 12곳
라: 🏠 9개 ➡ 9곳

**5-2** 벚꽃은 차지하는 길이가 가장 짧으므로 가장 적은 학생이 좋아하는 꽃입니다.

참고
가장 많은 학생이 좋아하는 꽃은 차지하는 길이가 가장 긴 튤립입니다.

**6-2** 작은 눈금 한 칸이 5 %를 나타내므로 5칸은 25 %를 나타냅니다.

## 개념 돌파 전략 ❷ `46~47쪽`

**1** (1) 6　(2) $\dfrac{1}{3}\left(=\dfrac{3}{9}\right)$

**2** (위부터) 7, 20, $\dfrac{7}{20}(=0.35)$ / 3, 10, $\dfrac{3}{10}(=0.3)$

**3** (위부터) 0.06, 6, 0.625, 62.5

**4** (1) 2, 2, 22　(2) 3, 1, 31

**5** 40, 30, 40, 30

**6** (1) 보라, 30　(2) 노랑, 20

**1** 탁구공은 9개, 야구공은 3개입니다.

➡ $9-3=6$, $3\div9=\dfrac{3}{9}=\dfrac{1}{3}$

**2** 7과 20의 비 ➡ 7 : 20

➡ $\dfrac{7}{20}=0.35$

10에 대한 3의 비 ➡ 3 : 10

➡ $\dfrac{3}{10}=0.3$

**3** $\dfrac{3}{50}=\dfrac{6}{100}=0.06$,

$0.06\times100=6$이므로 6 %

$\dfrac{5}{8}=\dfrac{625}{1000}=0.625$,

$0.625\times100=62.5$이므로 62.5 %

**4** 🏥은 10곳, 🏩은 1곳을 나타냅니다.

**5** 성민: $\dfrac{100}{250}\times100=40$이므로 40 %

리아: $\dfrac{75}{250}\times100=30$이므로 30 %

**6** (1) 가장 넓은 부분을 차지하는 색깔은 보라입니다.

(2) 가장 좁은 부분을 차지하는 색깔은 노랑입니다.

## 필수 체크 전략 ❶ `48~51쪽`

**필수 예제 01** (1) 예 묶음 수에 따라 과자 수는 초콜릿 수보다 각각 2, 4, 6, 8, 10이 더 큽니다.

(2) 예 과자 수는 항상 초콜릿 수의 2배입니다.

**확인 1-1** 예 정후는 현후보다 항상 4살 많습니다.

**확인 1-2** 예 10원짜리 동전 수는 항상 100원짜리 동전 수의 10배입니다.

**필수 예제 02** (1) 예 　(2) 예

**확인 2-1** 예

**확인 2-2** 예

**필수 예제 03** 2배

**확인 3-1** 2배　　　**확인 3-2** 예 약 3배

**필수 예제 04** 1000, 1600, 4500, 4300 /

스키장별 방문자 수

**확인 4-1**　　도시별 인구 수

# 정답 및 풀이

**확인 4-2** 스키장별 방문자 수

| | 1000명 |
| ○ | 500명 |
| ○ | 100명 |

**확인 1-1** 정후 나이에서 현후 나이를 빼면
$15-11=4$, $16-12=4$, $17-13=4$,
$18-14=4$이므로 정후는 현후보다 항상
4살 많습니다.

**확인 1-2** 10원짜리 동전 수를 100원짜리 동전 수로
나누면
$10÷1=10$, $20÷2=10$, $30÷3=10$,
$40÷4=10$이므로 10원짜리 동전 수는
항상 100원짜리 동전 수의 10배입니다.

**확인 2-1** $0.75=\dfrac{3}{4}$

비교하는 양이 3, 기준량이 4이고 전체가
8칸이므로 2칸씩 4등분 하여 그중 3부분,
즉 6칸에 색칠합니다.

**확인 2-2** $50\% ⟹ \dfrac{50}{100}=\dfrac{1}{2}$

비교하는 양이 1, 기준량이 2이고 전체가
4칸이므로 2칸씩 2등분 하여 그중 1부분,
즉 2칸에 색칠합니다.

**확인 3-1** 봄을 좋아하는 학생의 비율: 30 %
겨울을 좋아하는 학생의 비율: 15 %
⟹ $30÷15=2$(배)

**확인 3-2** 군것질에 사용한 금액의 비율: 32 %
저금에 사용한 금액의 비율: 11 %
⟹ $32÷11$을 어림하면 약 3배입니다.

**확인 4-1** 나: ◎ 5개, ◯ 1개, ○ 1개
라: ◎ 1개, ◯ 1개

---

**주의**

나를 ◎ 5개 ○ 6개로 그리지 않도록 합
니다.

**확인 4-2** 나: ◎ 1개, ◯ 1개, ○ 1개
다: ◎ 4개, ◯ 1개

---

## 필수 체크 전략 ❷  52~53쪽

**1** ㉠, ㉤  **2** 20 %

**3** 0.05, 0.15, 지수

**4** 과수원별 배 생산량

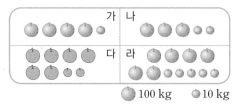

| | 100 kg | | 10 kg |

**5** 지역별 고구마 생산량

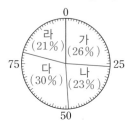

**6** ㉠ 장난감을 받고 싶은 학생 수는 옷을 받고 싶은
학생 수의 2배입니다.

㉠ 가장 많은 학생이 받고 싶은 선물은 학용품입
니다.

---

**1** ㉠ 기준량 3, 비교하는 양 8

㉡ $0.87=\dfrac{87}{100}$ : 기준량 100, 비교하는 양 87

㉢ $65\% ⟹ \dfrac{65}{100}$ : 기준량 100, 비교하는 양 65

㉣ 기준량 2, 비교하는 양 1

㉤ $120\% ⟹ \dfrac{120}{100}$ : 기준량 100, 비교하는 양 120

---

**2** $22000-17600=4400$(원)만큼 할인받은 것입니다.

$\dfrac{4400}{22000}\times100=20$이므로 $20\,\%$ 할인받았습니다.

**3** 소현: $\dfrac{10}{200}=0.05$, 지수: $\dfrac{45}{300}=0.15$

따라서 지수가 만든 레몬주스가 더 진합니다.

**4** 가: 410 kg, 나: 320 kg, 라: 650 kg

다 과수원의 배 생산량은

$2000-410-320-650=620$ (kg)이므로

🟠 6개, 🔵 2개를 그립니다.

**5** 가: 5200 kg, 나: 4600 kg, 다: 6000 kg, 라: 4200 kg

합계:

$5200+4600+6000+4200=20000$ (kg)

백분율을 구하면

가: $\dfrac{5200}{20000}\times100=26$이므로 26 %

나: $\dfrac{4600}{20000}\times100=23$이므로 23 %

다: $\dfrac{6000}{20000}\times100=30$이므로 30 %

라: $\dfrac{4200}{20000}\times100=21$이므로 21 %

**참고**

백분율을 구한 후 백분율의 합계가 $100\,\%$가 되는지 확인합니다.

➡ $26+23+30+21=100\,(\%)$

**6** '게임기를 받고 싶은 학생 수와 옷을 받고 싶은 학생 수는 같습니다.' 등 여러 가지 내용을 알 수 있습니다.

**필수 예제 01** (1) 55명　(2) 31 : 55

**확인 1-1** 0.4　　　　**확인 1-2** $3\dfrac{11}{13}$

**필수 예제 02** (1) 25 %　(2) 75 %

**확인 2-1** 25 %　　　**확인 2-2** 150 %

**필수 예제 03** 30, 25, 20, 20, 5, 100 /

좋아하는 과목별 학생 수

**확인 3-1** 키우고 싶은 반려동물별 학생 수

| 0 10 20 30 40 50 60 70 80 90 100 (%) |
| --- |

| 개 (40 %) | 고양이 (35 %) | 기타 (25 %) |
| --- | --- | --- |

**확인 3-2** 어느 나라의 무역액

**필수 예제 04** 200, 0.25, 50

**확인 4-1** 10권　　　**확인 4-2** 60명

**확인 1-1** 기준량은 가로 15 cm이고, 비교하는 양은 세로 6 cm이므로

$6 : 15 \Rightarrow \dfrac{6}{15}=\dfrac{2}{5}=0.4$

**확인 1-2** 기준량이 걸린 시간이고, 비교하는 양이 달린 거리이므로 $50 : 13 \Rightarrow \dfrac{50}{13}=3\dfrac{11}{13}$입니다.

**확인 2-1** 전체는 16칸이고, 색칠하지 않은 부분은 4칸입니다.

전체에 대한 색칠하지 않은 부분의 비율은 $\dfrac{4}{16}$입니다.

➡ $\dfrac{4}{16} \times 100 = 25$이므로 25 %

**확인 2-2** 색칠하지 않은 부분은 4칸, 색칠한 부분은 6칸이므로 색칠하지 않은 부분에 대한 색칠한 부분의 비율은 $\dfrac{6}{4}$입니다.

➡ $\dfrac{6}{4} \times 100 = 150$이므로 150 %

**확인 3-1** 개: $\dfrac{64}{160} \times 100 = 40$이므로 40 %

고양이: $\dfrac{56}{160} \times 100 = 35$이므로 35 %

기타: $\dfrac{40}{160} \times 100 = 25$이므로 25 %

**참고**

백분율의 합계가 100 %가 되는지 확인합니다.

➡ $40 + 35 + 25 = 100$ (%)

**확인 3-2** 수입: $\dfrac{470억}{1000억} \times 100 = 47$이므로 47 %

수출: $\dfrac{530억}{1000억} \times 100 = 53$이므로 53 %

**확인 4-1** 작은 눈금 한 칸이 5 %를 나타내므로 과학책은 20 %입니다.

➡ $50 \times 0.2 = 10$(권)

**확인 4-2** 전체가 100 %이므로 100 %에서 공부를 제외한 나머지 비율을 모두 빼면 공부의 비율이 나옵니다.

(공부의 비율)
$= 100 - 37 - 26 - 17 = 20$ (%)
(공부하고 싶은 학생 수)
$= 300 \times 0.2 = 60$(명)

---

**필수 체크 전략 ❷**　　58~59쪽

**1** 나
**2** 예

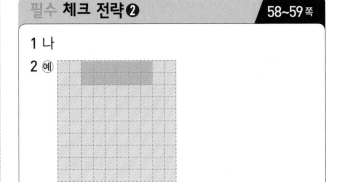

**3** 870 g　　　　　**4** 81명
**5** 24명　　　　　**6** 예 약 2배

**1** 가: $\dfrac{14}{10} = 1.4$, 나: $\dfrac{12}{8} = \dfrac{3}{2} = 1.5$

➡ $1.4 < 1.5$

**2** 강당 넓이에 대한 무대 넓이의 비율은
$\dfrac{36}{300} = \dfrac{12}{100}$입니다.
전체가 100칸이므로 12칸에 색칠합니다.

**3** 1 kg = 1000 g이므로 소금물에 들어 있는 소금의 양은 $1000 \times 0.13 = 130$ (g)입니다.

➡ $1000 - 130 = 870$ (g)

**4** 여학생 수: $600 \times 0.45 = 270$(명)

➡ $270 \times 0.3 = 81$(명)

**주의**

전체 학생 수에 안경 쓴 비율 30 %(0.3)를 곱하면 안 됩니다.

**5** 수영을 배우고 싶은 학생 수:
$300 \times 0.32 = 96$(명)
태권도를 배우고 싶은 학생 수:
$300 \times 0.24 = 72$(명)

➡ $96 - 72 = 24$(명)

**6** C 제품 판매 비율은 2021년에 37 %, 2017년에 19 %입니다.

➡ $37 \div 19$는 약 2이므로 약 2배입니다.

## 교과서 대표 전략 ❶  `60~63쪽`

**대표 예제 01** ⓔ $5-3=2$, 가로는 세로보다 2칸 더 깁니다. /

ⓔ $5\div3=1\dfrac{2}{3}$, 가로는 세로의 $1\dfrac{2}{3}$ 배입니다.

**대표 예제 02** $\dfrac{5}{8}$ 　　　**대표 예제 03** $13:15$

**대표 예제 04** $1360$, $1425$, 별빛 마을

**대표 예제 05** ×, ×, ○

**대표 예제 06** $\dfrac{4}{16}\left(=\dfrac{1}{4}\right)$, $0.25$

**대표 예제 07** $52$, $55$, 희준

**대표 예제 08** $60\,\%$ 　　　**대표 예제 09** 강원 권역

**대표 예제 10** $120$, $40$, $30$ /

가고 싶은 체험 학습 장소별 학생 수

| 0 10 20 30 40 50 60 70 80 90 100(%) |
| --- |
| 놀이공원(40%) ／ 전시회(30%) ／ 공연장(20%) ／ 기타(10%) |

**대표 예제 11** $45\,\%$

**대표 예제 12** 3배

**대표 예제 13**
장소별 학생 수

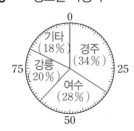

**대표 예제 14** ·　　　**대표 예제 15** $350\,kg$

**대표 예제 16** $78$명

---

**대표 예제 01** • 뺄셈으로 비교하기:

세로는 가로보다 2칸 더 짧습니다.

• 나눗셈으로 비교하기:

$3\div5=\dfrac{3}{5}$, 세로는 가로의 $\dfrac{3}{5}$배입니다.

**대표 예제 02** 전체 횟수(기준량)는 8이고 숫자 면이 나온 횟수(비교하는 양)는 5입니다.

➡ $\dfrac{(비교하는\ 양)}{(기준량)}=\dfrac{5}{8}$

**대표 예제 03** 여학생 수와 남학생 수의 비

➡ (여학생 수) : (남학생 수)$=13:15$

**대표 예제 04** 달빛 마을: $\dfrac{6800}{5}=6800\div5=1360$

별빛 마을: $\dfrac{5700}{4}=5700\div4=1425$

➡ $1360<1425$이므로 별빛 마을이 인구가 더 밀집합니다.

**대표 예제 05** $\dfrac{13}{5}\times100=260$이므로 $260\,\%$

$0.02\times100=2$이므로 $2\,\%$

$1.3\times100=130$이므로 $130\,\%$

**대표 예제 06** 기준량은 가위 수이고, 비교하는 양은 풀 수이므로 $\dfrac{(풀\ 수)}{(가위\ 수)}$로 비율을 나타내면 $\dfrac{4}{16}=\dfrac{1}{4}$이고 $\dfrac{1}{4}=\dfrac{25}{100}=0.25$입니다.

**대표 예제 07** $\dfrac{(골대에\ 넣은\ 횟수)}{(공을\ 던진\ 횟수)}$를 각각 구한 후 100을 곱합니다.

장우: $\dfrac{13}{25}\times100=52$이므로 $52\,\%$,

희준: $\dfrac{11}{20}\times100=55$이므로 $55\,\%$

➡ $52<55$이므로 희준이의 골 성공률이 더 높습니다.

**대표 예제 08** 전체가 10칸이고 색칠한 칸이 6칸이므로 $\dfrac{6}{10}\times100=60$ ➡ $60\,\%$

대표 **예제 09** 🏫이 없는 강원, 대전·세종·충청, 제주 권역 중 🏫이 가장 적은 제주 권역이 초등학교가 가장 적고, 두 번째로 적은 강원 권역이 초등학교가 두 번째로 적습니다.

대표 **예제 10** 놀이공원: $\dfrac{120}{300} \times 100 = 40$이므로 $40\ \%$

전시회: $\dfrac{90}{300} \times 100 = 30$이므로 $30\ \%$

대표 **예제 11** 피아노의 비율: $25\ \%$

바이올린의 비율: $20\ \%$

➡ $25 + 20 = 45\ (\%)$

대표 **예제 12** 쌀의 비율: $60\ \%$, 보리의 비율: $20\ \%$

➡ $60 \div 20 = 3$(배)

대표 **예제 13** 경주: $\dfrac{68}{200} \times 100 = 34$이므로 $34\ \%$

여수: $\dfrac{56}{200} \times 100 = 28$이므로 $28\ \%$

강릉: $\dfrac{40}{200} \times 100 = 20$이므로 $20\ \%$

기타: $\dfrac{36}{200} \times 100 = 18$이므로 $18\ \%$

대표 **예제 14** 내 몸무게의 변화: 시간의 변화를 알아보기 좋은 꺾은선그래프가 가장 좋을 것입니다.

권역별 강수량: 지역별로 많고 적음을 쉽게 알 수 있는 그림그래프가 가장 좋을 것입니다.

대표 **예제 15** 종이류는 $30\ \%$, 비닐류는 $15\ \%$이므로 종이류는 비닐류의 $30 \div 15 = 2$(배)입니다.

➡ $700 \div 2 = 350\ (\text{kg})$

대표 **예제 16** 19세 이하는 $13\ \%$입니다.

➡ $600 \times 0.13 = 78$(명)

---

### 교과서 대표 전략 ❷　64~65쪽

1 **예** 가로에 대한 세로의 비율은 나가 가보다 큽니다.

2 $\dfrac{7}{90000}$　　　3 나, 2000원

4 $36\ \%$　　　5 420개

6 200만 원　　　7 110명

8 　　　구독하는 신문별 가구 수

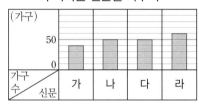

**1** 가로에 대한 세로의 비율 ➡ $\dfrac{(\text{세로})}{(\text{가로})}$

가: $\dfrac{4}{6} = \dfrac{2}{3}$, 나: $\dfrac{8}{10} = \dfrac{4}{5}$

$\dfrac{2}{3} < \dfrac{4}{5}$이므로 나가 가보다 큽니다.

**2** $900\ \text{m} = 90000\ \text{cm}$

$\dfrac{(\text{지도에서의 거리})}{(\text{실제 거리})} = \dfrac{7}{90000}$

**3** 할인한 만큼의 가격을 구하면

가: $50000 \times 0.15 = 7500$(원)

나: $45000 \times 0.1 = 4500$(원)

가는 $50000 - 7500 = 42500$(원)에,

나는 $45000 - 4500 = 40500$(원)에 살 수 있습니다.

나가 $42500 - 40500 = 2000$(원) 더 쌉니다.

**4** 작년과 올해의 전체 타수:

$320+180=500$(타)

작년과 올해의 안타 수: $110+70=180$(타)

$\dfrac{(안타\ 수)}{(전체\ 타수)}\times100=\dfrac{180}{500}\times100$

$\qquad\qquad\qquad\qquad\quad=36 \Rightarrow 36\ \%$

**5** 서점 수를 알아보면 대구 · 부산 · 울산 · 경상 권역은 750개, 대전 · 세종 · 충청 권역은 330개 입니다.

$\Rightarrow 750-330=420$(개)

**6** $\dfrac{20만}{(한\ 달\ 생활비)}=10\div100,$

$\dfrac{20만}{(한\ 달\ 생활비)}=\dfrac{1}{10}$이므로

한 달 생활비는 $10\times20만=200만$ (원)입니다.

**7** 3인 가족인 학생 수: $500\times0.4=200$(명)

$\Rightarrow 200\times0.55=110$(명)

**8** 가: $200\times0.2=40$(가구)

나, 다: $200\times0.25=50$(가구)

라: $200\times0.3=60$(가구)

---

## 누구나 만점 전략 `66~67쪽`

**01** ④

**02** (1) $\dfrac{6}{15}\left(=\dfrac{2}{5}\right)$ (2) $\dfrac{13}{8}\left(=1\dfrac{5}{8}\right)$

**03** 37.5 %  **04** 80, 90, 서진

**05** 28, 25 / 2반  **06** 다 과수원

**07** 15 %

**08** 30, 30, 25, 15, 100 /

좋아하는 계절별 학생 수

| 0 10 20 30 40 50 60 70 80 90 100 (%) |
|---|
| 봄 (30 %) \| 여름 (30 %) \| 가을 (25 %) \| 겨울 (15 %) |

**09** 예 약 3배  **10** 30마리

---

**01** ①, ②, ③, ⑤ 기준량이 9이고 비교하는 양이 10입니다. ➡ 10 : 9

④ 기준량이 10이고 비교하는 양이 9입니다.

$\qquad\Rightarrow 9 : 10$

**02** (1) 기준량 15, 비교하는 양 6이므로

$\qquad\dfrac{6}{15}=\dfrac{2}{5}$

(2) 기준량 8, 비교하는 양 13이므로

$\qquad\dfrac{13}{8}=1\dfrac{5}{8}$

**03** 전체 8칸 중 3칸에 색칠했으므로

$\dfrac{3}{8}\times100=37.5 \Rightarrow 37.5\ \%$

**04** 서은: $\dfrac{160}{2}=80$, 서진: $\dfrac{270}{3}=90$

$80<90$이므로 서진이가 탄 차가 더 빠릅니다.

주의

걸린 시간에 대한 간 거리의 비율이 더 큰 차가 더 빠른 것입니다.

**05** 1반: $\dfrac{7}{25}\times100=28$이므로 28 %

2반: $\dfrac{6}{24}=\dfrac{1}{4}$, $\dfrac{1}{4}\times100=25$이므로 25 %

$28>25$이므로 2반의 반대율이 더 낮습니다.

**06** 🍊(큰 그림)이 가장 많은 과수원은 다 과수원 입니다.

**07** 작은 눈금 한 칸이 5 %를 나타내므로 3칸을 차지하는 지방은 15 %입니다.

다른 풀이

100 %에서 지방을 제외한 나머지 영양소의 백분율을 뺍니다.

$\Rightarrow 100-45-25-10-5=15\ (\%)$

**08** 봄, 여름: $\frac{12}{40} \times 100 = 30$이므로 30 %

가을: $\frac{10}{40} \times 100 = 25$이므로 25 %

겨울: $\frac{6}{40} \times 100 = 15$이므로 15 %

**09** 축구를 좋아하는 학생 수의 비율: 35 %,
야구를 좋아하는 학생 수의 비율: 12 %
➡ 35÷12는 약 3이므로 약 3배입니다.

**10** 작은 눈금 한 칸이 5 %이고 돼지가 차지하는 비율은 25 %이므로 120×0.25=30(마리)입니다.

---

### 창의·융합·코딩 전략❶  68~69쪽

1 $\frac{20}{25}\left(=\frac{4}{5}\right)$, 0.8　　2 피자

**1** 가로에 대한 세로의 비율

➡ (세로) : (가로) ➡ $\dfrac{(세로)}{(가로)} = \dfrac{20}{25}\left(=\dfrac{4}{5}\right)$

➡ $\dfrac{20}{25} = \dfrac{80}{100} = 0.8$

---

### 창의·융합·코딩 전략❷  70~73쪽

1 21 km　　　　　　　2 비만이 아닙니다.
3 부산광역시　　　　　4 102만 원
5 1497600명
6 (1) 40〜49　 (2) 20〜29
7 6.8배　　　　　　　8 냉장고, 25 %

**1** 지도에서 1 cm가 실제로 300000 cm이므로 서울 월드컵 경기장에서 올림픽 공원까지의 거리 7 cm는 2100000 cm입니다.
2100000 cm=21000 m= 21 km

**2** 현수의 표준 몸무게는
$(164-100) \times 0.9 = 64 \times 0.9 = 57.6$ (kg)입니다.
57.6 kg의 120 %는 $57.6 \times 1.2 = 69.12$ (kg)이므로 69.12 kg 이상이 아닌 현수는 비만이 아닙니다.

**3** 도시별로 넓이에 대한 인구의 비율을 어림합니다.
부산광역시: $\dfrac{340만}{770} = 약 \ 4000$
대전광역시: $\dfrac{146만}{540} = 약 \ 3000$
따라서 인구가 더 밀집한 곳은 부산광역시입니다.

**4** 1년 후에 받는 이자는 100만 원의 2 %이므로
100만×0.02=20000(원)입니다.
따라서 1년 후에 100만+2만=102만 (원)을 찾을 수 있습니다.

**5** 광역시의 인구: 전체 인구의 26 %이므로
4800만×0.26=1248만 (명)
대전광역시의 인구: 광역시 인구의 12 %이므로 1248만×0.12=1497600(명)

**6** (1) 남자 고용률을 나타내는 그림에서 색칠한 그림이 가장 많은 것은 40〜49세입니다.
(2) 여자 고용률을 나타내는 그림에서 색칠한 그림이 가장 적은 것은 60세 이상이고, 두 번째로 적은 것은 20〜29세입니다.

**7** 수분은 75 %, 지방은 11 %이므로 수분은 지방의 75÷11=6.81…… ➡ 6.8배입니다.

**8** 띠의 길이가 가장 긴 것은 에어컨이고, 두 번째로 긴 것은 냉장고이므로 두 번째로 전력 사용량이 많은 것은 냉장고입니다.
작은 눈금 한 칸이 1 %를 나타내므로 냉장고는 25 %를 나타냅니다.

**1-1** 나          **1-2** 다

**2-1** 가          **2-2** 라

**3-1** 삼각기둥     **3-2** 사각기둥

**4-1** (1) 1000000     (2) 1

**4-2** (1) 2000000     (2) 3

**5-1** 2, 2, 2, 8       **5-2** 4, 4, 2, 32

**6-1** 4, 5, 2, 94      **6-2** 8, 5, 2, 236

**1-2** 가는 서로 평행한 두 다각형이 없습니다.
나는 서로 평행하고 합동인 두 원은 있지만 다각형이 아닙니다.
라는 위와 아래에 있는 면이 다각형이 아닙니다.
따라서 두 밑면이 서로 평행하고 합동인 다각형이고, 옆면이 직사각형인 다가 각기둥입니다.

**2-2** 가와 나는 옆면이 삼각형이 아닙니다.
다는 밑면이 다각형이 아닙니다.
따라서 밑면이 다각형이고 옆면이 삼각형인 라가 각뿔입니다.

**3-2** 두 밑면의 모양이 사각형이므로 사각기둥이 됩니다.

**4-2** (1) $1 \, m^3 = 1000000 \, cm^3$이므로
$2 \, m^3 = 2000000 \, cm^3$
(2) $1000000 \, cm^3 = 1 \, m^3$이므로
$3000000 \, cm^3 = 3 \, m^3$

**5-2** $1 \, cm^3$인 쌓기나무가 $4 \times 4 \times 2 = 32$(개)이므로 $32 \, cm^3$입니다.

**6-2** 합동인 면이 3쌍이므로 세 면의 넓이를 구해 각각 2배 한 뒤 더합니다.

**1** (1) 면 ㄱㄴㄷㄹ, 면 ㅁㅂㅅㅇ
(2) 면 ㄱㅁㅂㄴ, 면 ㄴㅂㅅㄷ, 면 ㄷㅅㅇㄹ, 면 ㄱㅁㅇㄹ

**2** (1) 면 ㄴㄷㄹㅁㅂ     (2) 5개

**3** 7 cm          **4** ( ◯ )(   )(   )

**5** $6 \times 5 \times 5 = 150$, $150 \, m^3$

**6** $5 \times 5 \times 6 = 150$, $150 \, cm^2$

**1** (1) 면 ㄴㅂㅅㄷ과 면 ㄱㅁㅇㄹ도 평행하나 합동이 아닙니다.
(2) 위 (1)에서 찾은 두 면에 수직인 면을 모두 찾습니다.

[참고]
(1) 서로 평행하고 합동인 두 면을 밑면이라고 합니다.
(2) 밑면에 수직인 면을 옆면이라고 합니다.

**2** (1) 바닥에 놓인 면 ㄴㄷㄹㅁㅂ이 밑면입니다.
(2) 밑면과 만나는 면은 옆면으로 삼각형인 면 5개입니다.

[참고]
(2) 밑면과 만나는 면은 면 ㄱㄴㄷ, 면 ㄱㄷㄹ, 면 ㄱㄹㅁ, 면 ㄱㅁㅂ, 면 ㄱㅂㄴ입니다.

**3** 각뿔의 꼭짓점에서 밑면에 수직인 선분의 길이는 7 cm입니다.

**4** 세 직육면체는 가로와 세로가 모두 같습니다.
따라서 높이가 가장 긴 가장 왼쪽 직육면체의 부피가 가장 큽니다.

**5** (직육면체의 부피) = (가로) × (세로) × (높이)
$= 6 \times 5 \times 5 = 150 \, (m^3)$

**6** 여섯 면의 넓이가 모두 같으므로 한 면의 넓이 $5 \times 5 = 25 \, (cm^2)$에 6을 곱합니다.
➡ $25 \times 6 = 150 \, (cm^2)$

## 필수 체크 전략❶ 82~85쪽

**필수 예제 01** (1) 육각뿔  (2) 팔각뿔

**확인 1-1** 십각기둥     **확인 1-2** 구각뿔

**필수 예제 02** 7개, 7개, 12개

**확인 2-1** 18개, 11개, 27개

**확인 2-2** 8개, 8개, 14개

**필수 예제 03** 24, 32, 나에 ○표

**확인 3-1** ㉠, ㉡, ㉢     **확인 3-2** ㉡, ㉠, ㉢

**필수 예제 04** (1) 10  (2) 5

**확인 4-1** 9     **확인 4-2** 6

**확인 1-1** 밑면의 모양이 십각형이므로 십각기둥입니다.

**확인 1-2** 밑면의 모양이 구각형이므로 구각뿔입니다.

**확인 2-1** 구각기둥의 한 밑면의 변의 수는 9개입니다.
꼭짓점의 수: $9 \times 2 = 18$(개)
면의 수: $9 + 2 = 11$(개)
모서리의 수: $9 \times 3 = 27$(개)

**확인 2-2** 칠각뿔의 밑면의 변의 수는 7개입니다.
꼭짓점의 수: $7 + 1 = 8$(개)
면의 수: $7 + 1 = 8$(개)
모서리의 수: $7 \times 2 = 14$(개)

> **참고**
> 각뿔은 밑면이 1개이므로 한 밑면의 변의 수라고 하지 않고 밑면의 변의 수라고 합니다.

**확인 3-1** ㉠ 9개씩 4층 ➡ 36개
㉡ 16개씩 2층 ➡ 32개
㉢ 10개씩 3층 ➡ 30개

**확인 3-2** ㉠ 6개씩 3층 ➡ 18개
㉡ 4개씩 4층 ➡ 16개
㉢ 10개씩 2층 ➡ 20개

**확인 4-1** (직육면체의 부피)
$=$(가로)$\times$(세로)$\times$(높이)
$=\square \times 4 \times 9$
$\square \times 4 \times 9 = 324$이므로
$\square = 324 \div 36 = 9$입니다.

**확인 4-2** (정육면체의 부피)
$=$(한 모서리의 길이)$\times$(한 모서리의 길이)
$\times$(한 모서리의 길이)
$=\square \times \square \times \square$
$\square \times \square \times \square = 216$이므로 $\square = 6$입니다.

## 필수 체크 전략❷ 86~87쪽

| | |
|---|---|
| **1** 6개 | **2** 90 cm |
| **3** 십각뿔 | **4** 가, 다 / 나, 다 |
| **5** 9 | **6** 3 cm |

**1** 밑면의 모양이 팔각형인 팔각기둥이므로 옆면은 8개, 밑면은 2개입니다.
➡ $8 - 2 = 6$(개)

**2** 5 cm인 모서리가 10개, 8 cm인 모서리가 5개입니다.
➡ $5 \times 10 + 8 \times 5 = 90$ (cm)

**3** 각뿔의 모서리의 수는 (밑면의 변의 수)$\times 2$이므로 (밑면의 변의 수)$\times 2 = 20$에서 밑면의 변의 수는 10입니다.
➡ 십각뿔

**4** 직접 맞대어 부피를 비교하려면 가로, 세로, 높이 중에서 두 종류 이상의 길이가 같아야 합니다.
가와 다는 4 cm, 5 cm인 변의 길이가 같고, 나와 다는 4 cm와 10 cm인 변의 길이가 같기 때문에 직접 맞대어 부피를 비교할 수 있습니다.

**5** 왼쪽 직육면체의 부피: $9 \times 6 \times 8 = 432$ (cm³)

오른쪽 직육면체의 부피:

$12 \times \square \times 4 = 432$ (cm³)

$48 \times \square = 432$에서 $\square = 9$입니다.

**6** 작은 정육면체를 4개씩 2층, 모두 8개로 쌓은 모양입니다.

작은 정육면체 한 개의 부피: $216 \div 8 = 27$ (cm³)

(한 모서리의 길이)×(한 모서리의 길이)×(한 모서리의 길이)$= 27$이므로 $3 \times 3 \times 3 = 27$에서 작은 정육면체의 한 모서리의 길이는 $3$ cm입니다.

**필수 체크 전략❶** **88~91쪽**

**필수 예제 01**

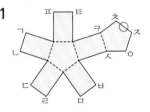

**확인 1-1** 선분 ㅅㅂ, 7 cm

**확인 1-2** 선분 ㅋㅌ, 3 cm

**필수 예제 02** (1) 아닙니다에 ○표 (2) 아닙니다에 ○표
(3) 다각형, 삼각형

**확인 2-1** 예 서로 평행한 두 다각형이 있지만 합동이 아니므로 각기둥이 아닙니다.

**확인 2-2** 예 밑면은 다각형이지만 옆면이 삼각형이 아니므로 각뿔이 아닙니다.

**필수 예제 03** 101, 1.001, ㄹ, ㄱ, ㄷ, ㄴ

**확인 3-1** ㄱ, ㄷ, ㄹ, ㄴ

**확인 3-2** ㄴ, ㄷ, ㄹ, ㄱ

**필수 예제 04** (왼쪽부터) 122, <, 150

**확인 4-1** (왼쪽부터) 348, >, 248

**확인 4-2** (왼쪽부터) 22, <, 24

**확인 1-1** 점 ㄱ과 점 ㅈ, 점 ㅅ이 만나고 점 ㄴ과 점 ㄹ, 점 ㅂ이 만나므로 선분 ㄱㄴ과 맞닿는 선분은 선분 ㅅㅂ입니다.

➡ (선분 ㅅㅂ)=(선분 ㅊㄷ)=7 cm

**확인 1-2** 점 ㄱ과 점 ㅋ이 만나고 점 ㅎ과 점 ㅌ이 만나므로 선분 ㄱㅎ과 맞닿는 선분은 선분 ㅋㅌ입니다.

➡ (선분 ㅋㅌ)=(선분 ㅂㅁ)=(선분 ㅂㅅ)
　　　　　　　　　　　　　　　=3 cm

**확인 2-1** 서로 평행한 두 사각형이 있지만 합동이 아니므로 각기둥이 아닙니다.

**확인 2-2** 밑면은 삼각형이지만 옆면이 삼각형이 아니므로 각뿔이 아닙니다.

**확인 3-1** ㉡ 80000 cm³ = 0.08 m³

㉢ 200 cm = 2 m이므로

$2 \times 2 \times 2 = 8$ (m³)

㉣ 100 cm = 1 m이므로

$1 \times 0.2 \times 4 = 0.8$ (m³)

$80 > 8 > 0.8 > 0.08$ ➡ ㉠, ㉢, ㉣, ㉡

**확인 3-2** ㉡ 100000 cm³ = 0.1 m³

㉢ 100 cm = 1 m이므로

$1 \times 1 \times 1 = 1$ (m³)

㉣ 50 cm = 0.5 m이므로

$2 \times 0.5 \times 10 = 10$ (m³)

$0.1 < 1 < 10 < 100$ ➡ ㉡, ㉢, ㉣, ㉠

**확인 4-1** 왼쪽 직육면체의 겉넓이:

$9 \times 6 \times 2 + (9+6+9+6) \times 8 = 348$ (m²)

오른쪽 직육면체의 겉넓이:

cm를 m로 고쳐서 계산하면

$4 \times 6 \times 2 + (4+6+4+6) \times 10 = 248$ (m²)

➡ $348 > 248$

**확인 4-2** cm를 m로 고쳐서 계산합니다.

왼쪽 직육면체의 겉넓이:

$3 \times 2 \times 2 + (3+2+3+2) \times 1 = 22 \ (\text{m}^2)$

오른쪽 직육면체에서 $200 \ \text{cm} = 2 \ \text{m}$이므로 모든 모서리의 길이가 같습니다.

➡ 정육면체

오른쪽 정육면체의 겉넓이:

$2 \times 2 \times 6 = 24 \ (\text{m}^2)$

➡ $22 < 24$

**참고**

m 단위를 cm 단위로 바꾸어 겉넓이를 구할 수도 있지만 수가 커져서 계산하기 복잡할 수 있습니다.

왼쪽 직육면체의 겉넓이:

$300 \times 200 \times 2$
$+ (300+200+300+200) \times 100$
$= 220000 \ (\text{cm}^2)$

오른쪽 정육면체의 겉넓이:

$200 \times 200 \times 6 = 240000 \ (\text{cm}^2)$

---

**필수 체크 전략❷**  92, 93쪽

**1** 12개

**2** 예

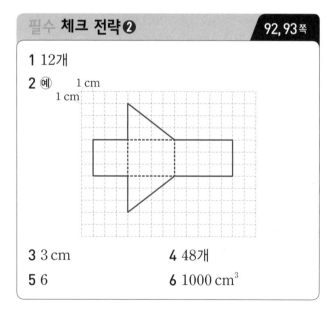

**3** 3 cm          **4** 48개

**5** 6          **6** 1000 cm³

---

**1** 전개도에서 밑면의 모양이 육각형이고 옆면이 6개이므로 육각기둥의 전개도입니다.

육각기둥의 꼭짓점은 $6 \times 2 = 12$(개)입니다.

**2** 예

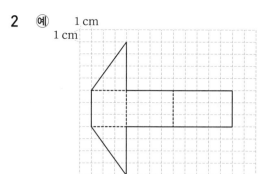

**3** 각기둥의 옆면이 모두 합동이면 두 밑면은 변의 길이가 모두 같습니다.

밑면의 한 변을 ● cm라 하면 전개도를 접었을 때 6 cm인 모서리가 4개, ● cm인 모서리가 8개이므로 모든 모서리의 길이의 합은

$6 \times 4 + ● \times 8 = 48$입니다. ● $= 3$이므로 밑면의 한 변의 길이는 3 cm입니다.

**참고**

사각기둥에서 옆면이 모두 합동이면 밑면의 모양은 정사각형이거나 마름모입니다.

**4** 1 m에는 한 모서리의 길이가 50 cm인 정육면체 모양의 상자를 2개 놓을 수 있습니다.

3 m에는 6개, 2 m에는 4개 놓을 수 있으므로 모두 $2 \times 6 \times 4 = 48$(개)까지 쌓을 수 있습니다.

**5** (두 밑면의 넓이) $= 7 \times 4 \times 2 = 56 \ (\text{cm}^2)$

(네 옆면의 넓이) $= 188 - 56 = 132 \ (\text{cm}^2)$

$(7+4+7+4) \times \square = 132$, $22 \times \square = 132$에서

$\square = 6$

**6** (한 면의 넓이) $= 600 \div 6 = 100 \ (\text{cm}^2)$

$10 \times 10 = 100$에서 한 모서리의 길이는 10 cm입니다.

➡ (부피) $= 10 \times 10 \times 10 = 1000 \ (\text{cm}^3)$

## 교과서 대표 전략❶  94~97쪽

**대표 예제 01**

**대표 예제 02** 면 ㄴㄷㄹㅍ, 면 ㅍㄹㅁㅌ,
　　　　　　　면 ㅌㅁㅇㅋ, 면 ㅋㅇㅈㅊ

**대표 예제 03** 팔각기둥, 10, 24, 16

**대표 예제 04**
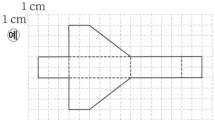

**대표 예제 05** (왼쪽부터) 육각형, 직사각형, 삼각형,
　　　　　　　2, 1

**대표 예제 06** (왼쪽부터) 6, 3, 11

**대표 예제 07** 6개　　**대표 예제 08** ×, ○, ○

**대표 예제 09** 나, 가, 다　　**대표 예제 10** 800 cm³

**대표 예제 11** 3.6 m³　　**대표 예제 12** 120 cm²

**대표 예제 13** 76 cm²　　**대표 예제 14** ①, ③

**대표 예제 15** 카스텔라, 999 cm³

**대표 예제 16** 4 cm

---

**대표 예제 01** 오각기둥의 보이는 모서리를 실선으로,
　　　보이지 않는 모서리를 점선으로 나타냅
　　　니다.

**[주의]**

보이지 않는 모서리를 실선으로 나타내
면 안 됩니다.

**대표 예제 02** 전개도를 접었을 때 면 ㄱㄴㅍㅎ과 평
　　　행한 면은 면 ㅁㅂㅅㅇ입니다.
　　　면 ㅁㅂㅅㅇ을 제외한 4개의 면을 모두
　　　씁니다.

**대표 예제 03** 밑면의 모양이 팔각형이므로 팔각기둥
　　　입니다.
　　　(면의 수)=8+2=10(개)
　　　(모서리의 수)=8×3=24(개)
　　　(꼭짓점의 수)=8×2=16(개)

**[참고]**

주어진 도형의 꼭짓점을 세어 몇 개인
지 알아보고 어떤 도형인지 알 수 있습
니다.

**대표 예제 04** 어느 모서리를 자르는가에 따라 다양한
　　　전개도를 그릴 수 있습니다.

**대표 예제 05** 육각기둥과 육각뿔은 모두 밑면의 모양
　　　이 육각형입니다.
　　　각기둥의 옆면은 직사각형, 각뿔의 옆
　　　면은 삼각형입니다.
　　　각기둥의 밑면은 2개, 각뿔의 밑면은
　　　1개입니다.

**[참고]**

두 도형의 옆면의 수는 6개로 같습니다.

**대표 예제 06**
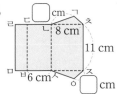

선분 ㄱㄴ은 선분 ㄷㄴ과 맞닿으므로
길이가 같습니다.
(선분 ㄱㄴ)=(선분 ㄷㄴ)
　　　　　　=(선분 ㅂㅅ)=6 cm
선분 ㅊㅈ은 각기둥의 높이를 나타내는
선분입니다.

**대표 예제 07** 칠각뿔의 모서리는 7×2=14(개)이고,
　　　꼭짓점은 7+1=8(개)입니다.
　　　➡ 14-8=6(개)

대표 **예제 08** 칠각기둥의 모서리는 $7 \times 3 = 21$(개)입니다.
면이 7개인 각기둥은 $7 - 2 = 5$에서 오각기둥입니다.
한 밑면의 변의 수를 ■개(■=3, 4, 5······)라 할 때 꼭짓점 (■×2)개, 면 (■+2)개, 모서리 (■×3)개 중에서 가장 큰 것은 (■×3)개입니다.

대표 **예제 09** 가: 9개씩 2층 ➡ 18개
나: 6개씩 4층 ➡ 24개
다: 8개씩 2층 ➡ 16개
$24 > 18 > 16$이므로 나, 가, 다입니다.

대표 **예제 10** (직육면체의 부피)
　　$= (가로) \times (세로) \times (높이)$
　　$= 20 \times 10 \times 4 = 800 \, (cm^3)$

대표 **예제 11** $150 \, cm = 1.5 \, m$, $120 \, cm = 1.2 \, m$
(직육면체의 부피)
　　$= (가로) \times (세로) \times (높이)$
　　$= 1.5 \times 1.2 \times 2 = 3.6 \, (m^3)$

대표 **예제 12** 정육면체 가의 겉넓이:
　　$4 \times 4 \times 6 = 96 \, (cm^2)$
정육면체 나의 겉넓이:
　　$6 \times 6 \times 6 = 216 \, (cm^2)$
　　➡ $216 - 96 = 120 \, (cm^2)$

대표 **예제 13** (한 밑면의 넓이) $= 4 \times 2 = 8 \, (cm^2)$
(옆면의 넓이) $= (2 + 4 + 2 + 4) \times 5$
　　　　　　$= 60 \, (cm^2)$
　　➡ $8 \times 2 + 60 = 76 \, (cm^2)$

**다른 풀이**
합동인 면이 3쌍이므로 크기가 다른 세 면의 넓이를 더한 후 2배 합니다.
$(4 \times 2 + 2 \times 5 + 4 \times 5) \times 2 = 76 \, (cm^2)$

대표 **예제 14** ① $4.3 \, m^3 = 4300000 \, cm^3$
③ $1000000 \, cm^3 = 1 \, m^3$

대표 **예제 15** 카스텔라의 부피:
　　$10 \times 15 \times 9 = 1350 \, (cm^3)$
무지개떡의 부피:
　　$9 \times 13 \times 3 = 351 \, (cm^3)$
$1350 > 351$이므로 카스텔라의 부피가
$1350 - 351 = 999 \, (cm^3)$ 더 큽니다.

대표 **예제 16** (직육면체의 부피)
　　$= (가로) \times (세로) \times (높이)$이므로
$7 \times 5 \times (높이) = 140$입니다.
$35 \times (높이) = 140$에서 $(높이) = 4 \, cm$

---

**교과서 대표 전략 ❷**　　98~99쪽

**1** 칠각형　　　　　　**2** 18개
**3** ○, ×, ○, 예 팔각기둥의 면의 수는 사각기둥의 면의 수보다 4만큼 더 큽니다.
**4** 60 cm　　　　　　**5** 1000 cm³
**6** 126 cm²　　　　　**7** 64 cm³
**8** 1.1 m

---

**1** 옆면이 7개이면 한 밑면의 변의 수는 7개입니다.
변의 수가 7개인 도형은 칠각형입니다.

**2** $10 = (밑면의 변의 수) + 1$에서 밑면의 변의 수는 9개이므로 구각뿔입니다.
구각뿔의 모서리는 $9 \times 2 = 18$(개)입니다.

**3** $(밑면의 변의 수) + 1 = 7$에서 밑면의 변의 수가 6개이므로 육각뿔입니다.
팔각기둥의 면의 수는 $8 + 2 = 10$(개)이고, 사각기둥의 면의 수는 $4 + 2 = 6$(개)입니다.
10은 6의 2배가 아닙니다.

**4** 두 밑면을 이루는 모서리(3 cm인 모서리)가 10개이고, 높이를 나타내는 모서리(6 cm인 모서리)가 5개입니다.
➡ $3 \times 10 + 6 \times 5 = 60 \, (cm)$

옆면이 모두 합동이므로 밑면의 모양은 정오각형입니다.

**5** 수조에서 늘어난 물의 높이만큼의 부피가 돌의 부피가 됩니다.
➡ $25 \times 10 \times 4 = 1000 \ (\mathrm{cm}^3)$

**6** 쌓기나무의 한 면의 넓이는 $3 \times 3 = 9 \ (\mathrm{cm}^2)$입니다.
입체도형을 앞, 뒤에서 보면 쌓기나무의 면이 모두 6개이고, 왼쪽, 오른쪽에서 보면 모두 4개, 위, 아래에서 봐도 모두 4개이므로 $9 \ \mathrm{cm}^2$인 면이 모두 14개입니다.
➡ $9 \times 14 = 126 \ (\mathrm{cm}^2)$

**7** 정육면체는 가로, 세로, 높이가 모두 같으므로 직육면체의 가장 짧은 모서리의 길이인 $4 \ \mathrm{cm}$를 정육면체의 한 모서리의 길이로 해야 합니다.
따라서 만든 가장 큰 정육면체 모양의 부피는 $4 \times 4 \times 4 = 64 \ (\mathrm{cm}^3)$입니다.

**8** $1000000 \ \mathrm{cm}^3 = 1 \ \mathrm{m}^3$이므로 $9900000 \ \mathrm{cm}^3 = 9.9 \ \mathrm{m}^3$입니다.
(부피)$\div$(밑면의 넓이)$=$(높이)이므로 높이는 $9.9 \div 9 = 1.1 \ (\mathrm{m})$입니다.

---

**누구나 만점 전략** 100~101쪽

**01** 면 ㄴㄷㅂㄷ, 면 ㄴㅁㄹㄱ, 면 ㄱㄹㅂㄷ
**02** (위부터) 4, 8, 6, 12, 6, 12, 8, 18
**03** 점 ㅈ, 점 ㅋ　　　　**04** 4개
**05** 36 cm　　　　**06** ( )( ○ )
**07** 90 cm³
**08** (1) 4300000　(2) 1.77
**09** $7 \times 7 \times 6 = 294$, 294 cm²
**10** 10

---

**02** 각기둥에서
(꼭짓점의 수)$=$(한 밑면의 변의 수)$\times 2$
(면의 수)$=$(한 밑면의 변의 수)$+2$
(모서리의 수)$=$(한 밑면의 변의 수)$\times 3$
• 사각기둥의 한 밑면의 변의 수는 4개이므로
 (꼭짓점의 수)$=4 \times 2 = 8$(개)
 (면의 수)$=4 + 2 = 6$(개)
 (모서리의 수)$=4 \times 3 = 12$(개)
• 육각기둥의 한 밑면의 변의 수는 6개이므로
 (꼭짓점의 수)$=6 \times 2 = 12$(개)
 (면의 수)$=6 + 2 = 8$(개)
 (모서리의 수)$=6 \times 3 = 18$(개)

**03** 전개도를 접었을 때 밑면과 옆면이 만나는 꼭짓점에서 점 ㅎ과 점 ㅌ이 만나고, 점 ㄱ과 점 ㅋ이 만납니다.
두 옆면이 만나는 꼭짓점에서 점 ㄱ과 점 ㅈ이 만납니다.

**04** 밑면의 수: 1개, 옆면의 수: 5개
➡ $5 - 1 = 4$(개)

**05** $4 \ \mathrm{cm}$인 모서리(밑면을 이루는 모서리)가 4개, $5 \ \mathrm{cm}$인 모서리가 4개입니다.
➡ $4 \times 4 + 5 \times 4 = 36 \ (\mathrm{cm})$

옆면을 이루는 삼각형은 모두 합동인 이등변삼각형입니다.

**06** 높이는 같고, 가로와 세로를 각각 비교하면 오른쪽이 왼쪽보다 짧으므로 부피가 더 작은 것은 오른쪽입니다.

왼쪽 직육면체의 부피:
$10 \times 10 \times 10 = 1000 \ (\mathrm{cm}^3)$
오른쪽 직육면체의 부피:
$8 \times 9 \times 10 = 720 \ (\mathrm{cm}^3)$

**07** (직육면체의 부피)=(밑면의 넓이)×(높이)
$$=30×3=90 \text{ (cm}^3)$$

**08** (1) $1 \text{ m}^3=1000000 \text{ cm}^3$이므로
$4.3 \text{ m}^3=4300000 \text{ cm}^3$
(2) $1000000 \text{ cm}^3=1 \text{ m}^3$이므로
$1770000 \text{ cm}^3=1.77 \text{ m}^3$

**09** 전개도를 접으면 한 모서리의 길이가 7 cm인 정육면체가 만들어집니다.
(정육면체의 겉넓이)=(한 면의 넓이)×6
$$=7×7×6=294 \text{ (cm}^2)$$

**10** 위 직육면체의 부피:
$15×16×3=720 \text{ (cm}^3)$
아래 직육면체의 부피:
$8×9×\square=720 \text{ (cm}^3)$
$72×\square=720$에서 $\square=10$

---

### 창의·융합·코딩 전략 ❶　　102~103쪽

| 1 라 | 2 3120 cm³ |
|---|---|

**2** $20×26×6=3120 \text{ (cm}^3)$

---

### 창의·융합·코딩 전략 ❷　　104~107쪽

**1** 삼각기둥, 사각기둥　　**2** 나
**3** 8개, 12개, 6개
**4**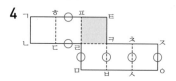
**5** (1) 1000　(2) 8000　**6** 1500 cm²
**7** 108 cm²　　　　　**8** 216 cm³

---

**1** 잘라서 생긴 두 도형은 옆면이 모두 직사각형이고, 한 도형은 두 밑면이 삼각형이므로 삼각기둥, 한 도형은 두 밑면이 사각형이므로 사각기둥입니다.

> **참고**
> 밑면인 오각형의 꼭짓점을 지나가도록 자르면 삼각기둥과 사각기둥이 생깁니다.

**2** 가: ♣와 평행한 면인 ◉이 함께 보이면 안 됩니다.
다: ■와 평행한 면인 ◆이 함께 보이면 안 됩니다.

**3** 그림을 보고 면, 모서리, 꼭짓점의 수를 각각 세어 봅니다.

**5** (1) 큰 정육면체의 부피는 작은 정육면체의 부피의 $10×10×10=1000$(배)입니다.
(2) 큰 정육면체의 부피는 작은 정육면체의 부피의 $20×20×20=8000$(배)입니다.

**6** 30 cm인 면이 2개 늘어납니다.
➡ $25×30×2=1500 \text{ (cm}^2)$

**7** 위에서 본 모양과 같은 면이 2개, 앞에서 본 모양과 같은 면이 2개, 옆에서 본 모양과 같은 면이 2개로 합동인 면이 3쌍입니다.
➡ $6×4×2+6×3×2+4×3×2$
$=108 \text{ (cm}^2)$

**8** 정육면체의 모든 모서리의 길이가 같으므로 직육면체의 가장 짧은 모서리를 한 모서리로 하는 주사위를 만듭니다.
➡ $6×6×6=216 \text{ (cm}^3)$

### 신유형·신경향·서술형 전략 110~115쪽

1 ❶ (○)( ) ❷ $34 \div 3 = 11\frac{1}{3}$, $11\frac{1}{3}$

2 ❶, ❷
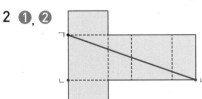

3 ❶ 1.16363 ❷ 1, 6, 3 ❸ 6

4 ❶ 25600원 ❷ 26000원 ❸ A 쇼핑몰, 400원

5 ❶ $\frac{2}{7}$ ❷ 400만 명

6 ❶ 720 cm³ ❷ 60 cm³ ❸ 660 cm³

---

1 ❷ (가는 거리) ÷ (필요한 휘발유의 양)
$= 34 \div 3 = \frac{34}{3} = 11\frac{1}{3}$ (km)

2 ❶ 점 ㄴ을 두 군데 찾을 수 있습니다.
❷ 점 ㄱ에서 옆면을 모두 지나 점 ㄴ까지 가야 하므로 점 ㄴ 중 오른쪽에 있는 점과 선으로 잇습니다.

3 ❶
```
        1.1 6 3 6 3
55 ) 6 4.0 0 0 0 0 0
     5 5
       9 0
       5 5
       3 5 0
       3 3 0
         2 0 0
         1 6 5
           3 5 0
           3 3 0
             2 0 0
             1 6 5
               3 5
```

### 참고

소수점 아래 숫자의 규칙을 찾을 수 있을 때까지 0을 내려서 계산합니다.

❸ 소수 2, 4, 6······째 자리 숫자는 6이고, 소수 3, 5, 7······째 자리 숫자는 3이므로 소수 열째 자리 숫자는 6입니다.

4 ❶ $32000 \times 0.2 = 6400$(원)을 할인하여 판매하므로 $32000 - 6400 = 25600$(원)에 살 수 있습니다.

❷ $32000 - 6000 = 26000$(원)에 살 수 있습니다.

❸ $25600 < 26000$이므로 A 쇼핑몰에서 사는 것이 $26000 - 25600 = 400$(원) 더 쌉니다.

### 다른 풀이

A 쇼핑몰은 $32000 \times 0.2 = 6400$(원)만큼 할인하고, B 쇼핑몰은 6000원만큼 할인하므로 A 쇼핑몰에서 사는 것이 $6400 - 6000 = 400$(원) 더 쌉니다.

5 ❶ 2차 산업 종사자: 20 %
3차 산업 종사자: 70 %
➡ $\frac{2}{7}$

❷ 2차 산업 종사자는 3차 산업 종사자의 $\frac{2}{7}$이므로 $1400$만$\times \frac{2}{7} = 400$만 (명)입니다.

6 ❶ (가로) × (세로) × (높이)
$= 8 \times 9 \times 10 = 720$ (cm³)

❷ 뚫린 부분은 가로 2 cm, 세로 3 cm, 높이 10 cm인 직육면체 모양이므로 부피는 $2 \times 3 \times 10 = 60$ (cm³)입니다.

❸ 뚫려 있지 않을 때의 직육면체의 부피에서 뚫린 부분의 부피를 뺍니다.
➡ $720 - 60 = 660$ (cm³)

**01** 예

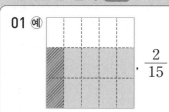

$\dfrac{2}{15}$

**02** 15, 15, $\dfrac{3}{20}$

**03** (1) $\dfrac{3}{14}$　(2) $6\dfrac{1}{4}\left(=\dfrac{25}{4}\right)$

**04** (위부터) $\dfrac{1}{10}$, 10.2, $\dfrac{1}{100}$, 1.02

**05** 12.1, 1.21　　**06** $\dfrac{11}{24}$

**07** <　　**08** $3\dfrac{3}{5}\left(=\dfrac{18}{5}\right)$

**09** $\dfrac{3}{7}$ m

**10**

| |
|---|
| $6936\div6=115.6$ |
| $693.6\div6=11.56$ |
| $\boxed{69.36\div6=11.56}$ |

**11** 예 32, 2, 16, 1□6.□2

**12** 0.37, 1.05　　**13** $2\dfrac{1}{3}$ kg$\left(=\dfrac{7}{3}\text{ kg}\right)$

**14** 1, 2, 3, 4　　**15** $\dfrac{7}{30}$ m²$\left(=\dfrac{14}{60}\text{ m}^2\right)$

**16** 1.8 kg　　**17** 0.75 kg

**18** 9, 2, 4.5　　**19** $\dfrac{60}{121}$

**20** 6.63

**01** $\dfrac{2}{3}$ 를 5로 나누려면 $\dfrac{2}{3}$ 를 $\dfrac{10}{15}$ 으로 만듭니다.

이를 다섯 부분으로 나누면 한 부분은 $\dfrac{2}{15}$ 가 됩니다.

**02** $\dfrac{3}{4}$ 과 크기가 같은 분수 중 분자가 5의 배수인

분수를 만들어 분자를 자연수로 나눕니다.

$\dfrac{3}{4}=\dfrac{3\times5}{4\times5}=\dfrac{15}{20}$

**03** (1) $3\div14=\dfrac{3}{14}$

(2) $25\div4=\dfrac{25}{4}=6\dfrac{1}{4}$

**04** 나누는 수가 같고 나누어지는 수가 자연수의

$\dfrac{1}{10}$ 배, $\dfrac{1}{100}$ 배인 경우에는 몫도 $\dfrac{1}{10}$ 배, $\dfrac{1}{100}$ 배

가 됩니다.

**05**

| 484 | ÷4= | 121 |
|---|---|---|
| $\frac{1}{10}$배 | | $\frac{1}{10}$배 |
| 48.4 | ÷4= | 12.1 |
| $\frac{1}{100}$배 | | $\frac{1}{100}$배 |
| 4.84 | ÷4= | 1.21 |

**06** $1\dfrac{5}{6}\div4=\dfrac{11}{6}\times\dfrac{1}{4}=\dfrac{11}{24}$

**07**

$$3)\overline{4.35} \quad 4)\overline{6.20}$$

$1.45 < 1.55$

**08** 가장 큰 수: 18, 가장 작은 수: 5

$18\div5=\dfrac{18}{5}=3\dfrac{3}{5}$

**09** 3 m를 똑같이 7로 나누어야 하므로

$3\div7=\dfrac{3}{7}$ (m)입니다.

**10** 6936÷6의 몫은 6000÷6=1000보다 크므로

1156입니다.

693.6÷6의 몫은 600÷6=100보다 크므로

115.6입니다.

69.36÷6의 몫은 60÷6=10보다 크므로

11.56입니다.

**11** 32.4를 반올림하여 일의 자리까지 나타내면 32
입니다.

$32 \div 2 = 16$이므로 $32.4 \div 2$의 몫은 $16.2$입니다.

**12**

$$\begin{array}{r} 0.3\,7 \\ 8\overline{)2.9\,6} \\ \underline{2\,4\phantom{0}} \\ 5\,6 \\ \underline{5\,6} \\ 0 \end{array}$$

$$\begin{array}{r} 1.0\,5 \\ 9\overline{)9.4\,5} \\ \underline{9\phantom{.00}} \\ 4\,5 \\ \underline{4\,5} \\ 0 \end{array}$$

**13** (전체 쌀의 무게) $\div$ (봉지 수)

$$= \frac{35}{3} \div 5 = 2\frac{1}{3} \text{ (kg)}$$

**14** $1\frac{2}{3} \div 3 = \frac{5}{9}$이므로 $5 > \square$

➡ $\square = 1, 2, 3, 4$

**15** 똑같이 6으로 나누어 2를 색칠한 것입니다.

한 칸의 넓이: $\frac{7}{10} \div 6 = \frac{7}{60}$ (m²)

색칠한 부분의 넓이: $\frac{7}{60} \times 2 = \frac{14}{60} = \frac{7}{30}$ (m²)

**16** (전체 무게) $\div$ (동화책 권수) $= 9 \div 5 = 1.8$ (kg)

**17** (전체 콩의 무게) $\div$ (사람 수)

$$= 4.5 \div 6 = 0.75 \text{ (kg)}$$

**18** 몫이 가장 크려면 나누어지는 수를 가장 큰 수인
9로, 나누는 수를 가장 작은 수인 2로 합니다.

**19** (어떤 수) $\times 11 = 60$, (어떤 수) $= 60 \div 11 = \frac{60}{11}$

바르게 계산하면 $\frac{60}{11} \div 11 = \frac{60}{121}$

**20** 가에 15.26을 넣고, 나에 2를 넣어 계산합니다.

$(15.26 - 2) \div 2 = 13.26 \div 2 = 6.63$

---

**학력진단 전략 2회** **120~123쪽**

**01** (1) 3, 4   (2) 3, 4   (3) 4, 3

**02** 예 $90 - 81 = 9$로 남학생은 여학생보다 9명 많
습니다.

예 $81 \div 90 = 0.9$로 여학생 수는 남학생 수의 0.9
배입니다.

**03** 예 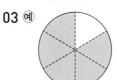   **04** 문학

**05** 25 %

**06**
마을별 1인당 육류 소비량

| 마을 | 육류 소비량(kg) |
|---|---|
| 가 | ◎ ● ● |
| 나 | ● ● ● ● ● ● ● ● |
| 다 | ● ● ● ● ● ● ● |
| 라 | ◎ ● |

◎ 100 kg   ● 10 kg

**07** 예 육류 소비량이 가장 많은 마을은 가 마을입니다.

예 육류 소비량이 가장 적은 마을은 다 마을입니다.

**08** 62.5 %          **09** 25, 20, 35, 20, 100

**10**
좋아하는 계절별 학생 수

**11** $\frac{100}{17}\left(=5\frac{15}{17}\right)$          **12** 1반, 50 %

**13** 24명          **14** 가 마을

**15**
좋아하는 자동차 색깔별 학생 수

| 0 10 20 30 40 50 60 70 80 90 100 (%) |
|---|

| 검은색 (30 %) | 흰색 (35 %) | 회색 (20 %) | 기타 (15 %) |
|---|---|---|---|

**16** 3.15 km²          **17** 0.7 km²

**18** 200명          **19** 준하

**20** 21타

# 정답 및 풀이

**01** (1), (2) 귤 수가 비교하는 양이고, 파인애플 수가 기준량이므로 3 : 4입니다.

(3) 파인애플 수가 비교하는 양이고, 귤 수가 기준량이므로 4 : 3입니다.

**02** • 뺄셈으로 비교하기

'90−81=9로 여학생은 남학생보다 9명 적습니다.'라고 써도 됩니다.

• 나눗셈으로 비교하기:

'90÷81=$1\frac{1}{9}$로 남학생 수는 여학생 수의 $1\frac{1}{9}$배입니다.'라고 써도 됩니다.

**03** 기준량이 6이고 비교하는 양이 5이므로 전체 6칸 중 5칸에 색칠합니다.

**04** 띠의 길이가 가장 긴 것은 문학입니다.

**05** 전체 100 %에서 문학, 과학, 기타의 백분율을 뺍니다.

➡ $100-(35+25+15)=25$ (%)

**06** 가: 120 kg은 ◎ 1개, ● 2개

나: 90 kg은 ● 9개

다: 70 kg은 ● 7개

라: 110 kg은 ◎ 1개, ● 1개

**07** '육류 소비량이 많은 마을부터 차례로 쓰면 가, 라, 나, 다입니다.' 등 여러 가지로 쓸 수 있습니다.

**08** 전체 16칸 중 10칸을 색칠했으므로

$\frac{10}{16}\times100=62.5$에서 62.5 %입니다.

**09** 봄: $\frac{30}{120}\times100=25$이므로 25 %

여름, 겨울: $\frac{24}{120}\times100=20$이므로 20 %

가을: $\frac{42}{120}\times100=35$이므로 35 %

**10** 작은 눈금 한 칸이 5 %를 나타내므로 봄 5칸, 여름, 겨울 각각 4칸, 가을 7칸으로 나타냅니다.

**11** 기준량이 걸린 시간이고 비교하는 양이 달린 거리입니다.

$\frac{(비교하는\ 양)}{(기준량)}=\frac{100}{17}=5\frac{15}{17}$

**12** 각 반의 찬성률을 백분율로 나타냅니다.

1반: $\frac{12}{24}\times100=50$이므로 50 %

2반: $\frac{15}{25}\times100=60$이므로 60 %

3반: $\frac{18}{30}\times100=60$이므로 60 %

**13** 창경궁에 가고 싶은 학생은 15 %이므로

$160\times0.15=24$(명)입니다.

**14** 넓이에 대한 인구의 비율을 각각 구하면

가 마을: $\frac{150000}{25}=6000$,

나 마을: $\frac{180000}{32}=5625$

넓이에 대한 인구의 비율이 더 큰 마을이 더 밀집한 곳입니다.

6000>5625이므로 가 마을이 더 밀집한 곳입니다.

**15** 전체 학생 수: $12+14+8+6=40$(명)

검은색: $\frac{12}{40}\times100=30$이므로 30 %

흰색: $\frac{14}{40}\times100=35$이므로 35 %

회색: $\frac{8}{40}\times100=20$이므로 20 %

기타: $\frac{6}{40}\times100=15$이므로 15 %

**16** 전체 토지 중에서 밭이 차지하는 넓이는

$20\times0.35=7$ (km²)입니다.

밭의 넓이 중 감자를 심은 부분은

$7\times0.45=3.15$ (km²)입니다.

**17** 고구마를 심은 토지의 넓이: $7 \times 0.2 = 1.4 \, (\text{km}^2)$
고추를 심은 토지의 넓이: $7 \times 0.1 = 0.7 \, (\text{km}^2)$
➡ $1.4 - 0.7 = 0.7 \, (\text{km}^2)$

**18** 도보로 등교하는 학생은 45 %입니다.

$(\text{전체 학생 수}) \times \dfrac{\overset{9}{\cancel{45}}}{\underset{20}{\cancel{100}}} = 90$,

$\dfrac{(\text{전체 학생 수}) \times 9}{20} = 90$이므로

$(\text{전체 학생 수}) \times 9 = 1800$에서 조사한 학생은 모두 200명입니다.

**19** 소금물의 양에 대한 소금의 비율을 백분율로 나타냅니다.

준하: $\dfrac{60}{300} \times 100 = 20$이므로 20 %

민지: $\dfrac{75}{500} \times 100 = 15$이므로 15 %

➡ 준하가 만든 소금물이 더 진합니다.

**20** $\dfrac{(\text{안타 수})}{(\text{전체 타수})} = (\text{타율})$이므로

$(\text{준범이의 안타 수}) = 150 \times 0.34 = 51(\text{타})$
$(\text{준한이의 안타 수}) = 150 \times 0.48 = 72(\text{타})$
➡ $72 - 51 = 21(\text{타})$

---

**학력진단 전략 3회**　124~127쪽

**1** (위부터) 삼각형, 사각형, 삼각기둥, 사각기둥

**2** 면 ㄱㄴㄷㄹ, 면 ㅁㅂㅅㅇ

**3** 　　**4** >

**5** 45 cm³　　**6** (1) 5.5　(2) 1320000

**7** 팔각뿔, 9, 16, 9　　**8** (　)(○)

**9** 예
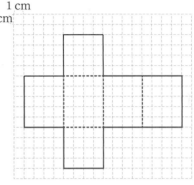

**10** 276 cm²　　**11** 9 cm

**12** (왼쪽부터) 7, 6, 4, 5

**13** 10개　　**14** 육각뿔

**15**

**16** 1.5 m³　　**17** 3

**18** 125 cm³　　**19** 312 cm²

**20** 512 cm³

**03** 보이는 모서리는 실선으로, 보이지 않는 모서리는 점선으로 나타냅니다.

**04** 왼쪽 직육면체에 사용한 쌓기나무:
15개씩 4층이므로 60개
오른쪽 직육면체에 사용한 쌓기나무:
16개씩 3층이므로 48개
➡ 60 > 48

**05** (직육면체의 부피)＝(가로)×(세로)×(높이)
＝3×5×3＝45 (cm³)

**06** (1) 1000000 cm³＝1 m³이므로
5500000 cm³＝5.5 m³
(2) 1 m³＝1000000 cm³이므로
1.32 m³＝1320000 cm³

**07** 밑면의 모양이 팔각형이므로 팔각뿔입니다.
면의 수: 8＋1＝9(개)
모서리의 수: 8×2＝16(개)
꼭짓점의 수: 8＋1＝9(개)

**08** 가로와 높이가 각각 같으므로 세로를 비교하면
4＜5에서 오른쪽 직육면체의 부피가 더 큽니다.

**10** (한 밑면의 넓이)×2＋(옆면의 넓이)
＝7×4×2＋(7＋4＋7＋4)×10
＝276 (cm²)

**11** 10×7×(높이)＝630,
(높이)＝630÷70＝9 (cm)

**12**

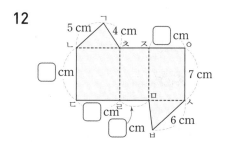

(선분 ㄴㄷ)＝(선분 ㅇㅅ)＝7 cm
(선분 ㄷㄹ)＝(선분 ㅅㅂ)＝6 cm
(선분 ㄹㅁ)＝(선분 ㅊㅈ)＝(선분 ㅊㄱ)＝4 cm
(선분 ㅈㅇ)＝(선분 ㄱㄴ)＝5 cm

**13** 십일각뿔의 밑면의 수는 1개이고, 옆면의 수는 11개입니다.
➡ 11－1＝10(개)

**14** 각뿔의 모서리의 수는 (밑면의 변의 수)×2이므로 (밑면의 변의 수)×2＝12에서 밑면의 변의 수는 6개입니다.
➡ 육각뿔

**15**

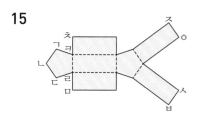

맞닿는 선분을 찾아보면 선분 ㄱㅋ과 선분 ㅊㅋ, 선분 ㄱㄴ과 선분 ㅈㅇ, 선분 ㄴㄷ과 선분 ㅅㅂ, 선분 ㄷㄹ과 선분 ㅁㄹ입니다.

**16** 수조에서 낮아진 물의 높이만큼의 부피가 돌의 부피입니다.
50 cm＝0.5 m이므로 돌의 부피는
2×1.5×0.5＝1.5 (m³)입니다.

**17** 가의 겉넓이: 7×7×6＝294 (cm²)
나의 겉넓이:
9×10×2＋(9＋10＋9＋10)×□＝294
180＋38×□＝294에서 □＝3

**18** 정육면체는 모든 모서리의 길이가 같아야 하므로 직육면체의 가장 짧은 모서리인 5 cm를 한 모서리의 길이로 하여 만듭니다.
➡ 5×5×5＝125 (cm³)

**19** (두 밑면의 넓이)＝(6×8÷2)×2＝48 (cm²)
(옆면의 넓이)
＝6×11＋8×11＋10×11＝264 (cm²)
➡ 48＋264＝312 (cm²)

참고
각기둥의 전개도의 넓이는 각기둥의 겉넓이와 같습니다.

**20** 한 면의 넓이: 384÷6＝64 (cm²)
한 모서리의 길이: 8×8＝64이므로 8 cm
(부피)＝8×8×8＝512 (cm³)

**기초 학습능력 강화 교재**

중학 수학도 연산이 핵심!

# 빅터연산

## 충분한 반복 학습

반복이 완벽을 만든다!
반복학습→집중학습→테스트 과정을 통해
빠르고 정확한 연산 능력 습득

## 쉽고 재미있는 연산

지루하고 힘든 연산은 NO!
퍼즐, 퀴즈 등 다양한 형태의 문제로
쉽고 재미있는 연산 YES!

## 더! 풍부한 학습량

타 연산 교재보다 2배 많은 분량
QR코드 자동 문항 생성기로
추가 문제까지 제공

수학의 자신감을 키워주는
단계별 연산서
중학 1~3학년(1A~3B/6단계 영역별)

정답은
이안에
있어!

수학
전략

# 배움으로 행복한 내일을 꿈꾸는
# 천재교육 커뮤니티 안내 . . .

교재 안내부터 구매까지 한 번에!
## 천재교육 홈페이지

천재교육 홈페이지에서는 자사가 발행하는 참고서,
교과서에 대한 소개는 물론 도서 구매도 할 수 있습니다.
회원에게 지급되는 별을 모아 다양한 상품 응모에도
도전해 보세요.

구독, 좋아요는 필수! 핵유용 정보 가득한
## 천재교육 유튜브 <천재TV>

신간에 대한 자세한 정보가 궁금하세요?
참고서를 어떻게 활용해야 할지 고민인가요?
공부 외 다양한 고민을 해결해 줄 채널이 필요한가요?
학생들에게 꼭 필요한 콘텐츠로 가득한 천재TV로 놀러 오세요!

다양한 교육 꿀팁에 깜짝 이벤트는 덤!
## 천재교육 인스타그램

천재교육의 새롭고 중요한 소식을 가장 먼저 접하고 싶다면?
천재교육 인스타그램 팔로우가 필수!
누구보다 빠르고 재미있게 천재교육의 소식을 전달합니다.
깜짝 이벤트도 수시로 진행되니 놓치지 마세요!

답답했던 수학의 해법을 찾다!

# 해결의 법칙
## 시리즈

### 단계별 맞춤 학습

개념과 유형의 단계별 교재로
쉽지만 필수적인 기초 개념부터
다양한 문제 유형까지 맞춤 학습 가능!

### 혼자서도 OK!

다양하고 쉬운 예시와 개념 동영상,
QR 나만의 오답노트로
스마트한 자기주도학습!

### 중학 수학의 완성

"해법수학"의 천재교육이 만들어 다르다!
전국 내신 기출 분석과 친절한 해설로
중학생 수학 고민 해결!

중학 수학의 왕도가 되어줄게! (중학 1~3학년 / 학기별)

# book.chunjae.co.kr

| | |
|---|---|
| **교재 내용 문의** | 교재 홈페이지 ▶ 초등 ▶ 교재상담 |
| **교재 내용 외 문의** | 교재 홈페이지 ▶ 고객센터 ▶ 1:1문의 |
| **발간 후 발견되는 오류** | 교재 홈페이지 ▶ 초등 ▶ 학습지원 ▶ 학습자료실 |

ISBN 979-11-259-6651-7

정가 13,000원

어린이제품
안전 특별법에
의한 품질 표시

**My name~**

| | 초등학교 |
|---|---|
| 학년　　반　　번 | |
| 미름 | |